*D*

Erzählung

CW01064247

Mittelhochdeutsch / Neuhochdeutsch

Herausgegeben, übersetzt und kommentiert
von Otfrid Ehrismann

Philipp Reclam jun. Stuttgart

Umschlagabbildung: Der Hofhund. Miniatur aus dem
Codex FB 32001 (fol. 25$^v$) des Tiroler Landesmuseums
Ferdinandeum, Graz; 1456.

Universal-Bibliothek Nr. 8797
Alle Rechte vorbehalten
© 1992 Philipp Reclam jun. GmbH & Co., Stuttgart
Gesamtherstellung: Reclam, Ditzingen. Printed in Germany 2001
RECLAM und UNIVERSAL-BIBLIOTHEK sind eingetragene Marken
der Philipp Reclam jun. GmbH & Co., Stuttgart
ISBN 3-15-008797-X

www.reclam.de

# Inhalt

Reden

*Anhang*

# Didaxe, Parodie und Allegorese: Der Stricker

## *Die Zeit*

Der Stricker lebte auf der Schwelle zum Spätmittelalter. Das
Reich verlagerte unter Kaiser Friedrich II. (1212–50) sein
Herrschaftszentrum allmählich nach Sizilien, in Deutsch-
land festigten die geistlichen und weltlichen Herren ihre
Positionen gegenüber dem König – die Historiker sprechen
von der Territorialisierung des Reiches, die besonders in den
beiden großen kaiserlichen Erlassen manifest wurde, der
*Confoederatio cum principibus ecclesiasticis* (›Vertrag mit den
Kurfürsten‹, 1220) und dem *Statutum in favorem principum*
(›Statut zugunsten der Fürsten‹, 1231). So werden beim
Stricker nicht mehr die ritterlichen Könige des arthurischen
Romans allein die Hauptrolle spielen, und es finden auch die
»kleinen Leute« Einlaß in die Dichtung, wenn auch unter
dem Vorzeichen abwehrender Distanz.
Die Kirche intensivierte ihre Herrschaft. Zu Anfang des
Jahrhunderts waren die Bettelorden der Franziskaner und
Dominikaner gegründet worden, die vornehmlich in den
Städten wirkten. Der große politische Durchbruch war
Papst Innocenz (1198–1216) gelungen, der mit hohem diplo-
matischem Geschick die deutschen Thronwirren, die nach
der Doppelwahl von Philipp von Schwaben (1198–1208) und
Otto IV. von Braunschweig (1198–1215) entstanden waren,
für die Kurie nutzen konnte. Im 4. Laterankonzil, das die
neue Weltstellung des Papsttums dokumentiert, wurde den
Bischöfen die Verfolgung der Häretiker vorgeschrieben;
eine Inquisition entstand, die in den dreißiger Jahren von
Papst Gregor IX. (1227–41) den Dominikanern übertragen
wurde. Unter ihnen tat sich besonders Konrad von Marburg
(1233 von Rittern erschlagen), der Beichtvater der heiligen
Elisabeth, hervor.

In einem solchen Klima, in dem wir auch die Predigten der wortgewaltigen Franziskanermönche David von Augsburg und Berthold von Regensburg ansiedeln, erweisen sich die geistlichen Reden des Strickers, die u. a. engagiert gegen die Ketzer streiten, als aktuelle Parteinahme für die Amtskirche und die Landesherrschaft – ohne daß wir diese Aktualität heute überzeugend präzisieren könnten.

Der Stricker empfahl sich dem Literaturbetrieb zu einer Zeit, als dieser die intensive Bindung an den französischen Westen verlor. Schon mit seinen beiden Epen *Daniel vom Blühenden Tal* und *Karl der Große*, wahrscheinlich seinen frühesten Werken, stellte er sich zwischen die Fronten von Tradition und Innovation. Den Helden Daniel, dem er nicht einen der üblichen arthurischen, sondern einen biblischen Namen verlieh, stattete er außer mit Mut und Tapferkeit zusätzlich mit einer gehörigen Portion List und Klugheit aus und relativierte dadurch das alte Ideal der *fortitudo* (›Tapferkeit‹): »die ›sprachlose‹ Gewalt der Schlachten« ist hier »prinzipiell durch den vernünftigen Dialog ersetzbar«.[1] In Karl akzentuierte er nach einem Programm des *erniuwen* (›Erneuern‹) das alte *Rolandslied* des Pfaffen Konrad aus dem vergangenen Jahrhundert neu im Sinne eines kaiser- und staufertreuen Epos, wobei er vor allem die Heiligkeit Karls hervorhob.[2] Er reaktivierte damit die schlichte vorhöfische Erzählkunst, die eine Zeitlang von den Artusdichtungen ins literarische Abseits gedrängt worden war.

Nicht diese Dichtungen jedoch bestimmen seinen Platz in der deutschen Literaturgeschichte, sondern seine Fabeln,

---

1  Manfred Eikelmann, »Rolandslied und später Artusroman. Zu Gattungsproblematik und Gemeinschaftskonzept in Strickers *Daniel von dem Blühenden Tal*«, in: *Wolfram-Studien* 11 (1989) S. 107–127, hier S. 126; vgl. einführend: Carola L. Gottzmann, *Artusdichtung*, Stuttgart 1989 (SM 249), S. 126 bis 129.

2  Vgl. Rüdiger Schnell, »Strickers *Karl der Große*. Literarische Tradition und politische Wirklichkeit« (1974), in: R. S. (Hrsg.), *Die Reichsidee in der deutschen Dichtung des Mittelalters*, Darmstadt 1983 (WdF 589), S. 315 bis 353.

Reden und Mären, mit denen er seinen Weg, die höfische
Dichtung durch parodistisches und pädagogisches Engage-
ment hinter sich zu lassen, fortsetzte und eine Hochkon-
junktur der kleinen Erzählformen und der Didaxe einleitete.
Er entwickelte sich zu einem professionellen Vermittler:
einem Vermittler der Kulturen (bzw. Kulturformen), Stoffe
und Formen. In der hohen höfischen Dichtung fühlte er sich
ebenso zu Hause wie in der des Volkes und der Kirche, aus
denen er nicht wenige Stoffe und Motive bezog. Wie diese
im einzelnen zu ihm kamen, bleibt uns heute verschlossen,
doch scheint er sie in ungewöhnlich selbständiger Weise
adaptiert zu haben. Dabei ist ihm nicht die Erfindung der
einzelnen Erzählformen wie Fabel, Märe oder Rede zuzu-
schreiben,[3] eher deren Rezeption und Literarisierung sowie
deren typische moralisierende exegetische Ausformung im
Sinne einer theologisch-ethischen *amplificatio* (›Erweite-
rung‹).
Als er seine beiden umfangreichen Werke schrieb, in dem
Jahrzehnt um 1220, dürfte Wolfram von Eschenbach noch
gelebt haben, dessen *Willehalm* sich im selben Stoffkreis wie
der *Karl* bewegte, sich allerdings im Rahmen der allgemei-
nen Gotteskindschaft christlicher Toleranz verpflichtet
fühlte, während Strickers Dichtung weiterhin den alten
kompromißlosen Kreuzzugsgedanken idealisierte.[4] Hart-
mann von Aue, der mit *Der arme Heinrich* und *Gregorius*
die epische Kleinform in die Volkssprache eingeführt hatte,
ohne damit jedoch schon eine literarische Tradition in Gang
setzen zu können, war gestorben, wohl auch Gottfried von
Straßburg, der um 1210 den *Tristan* abgeschlossen hatte.
Liebe und Abenteuer, die konventionellen Romansujets,

---

3 Näheres zu den einzelnen Gattungen/Erzählformen s. Anhang; einführend
   vor allem: Hannes Kästner / Bernd Schirok, »Die Textsorten des Mittelhoch-
   deutschen«, in: Werner Besch (Hrsg.), *Sprachgeschichte. Ein Handbuch zur
   Geschichte der deutschen Sprache und ihrer Erforschung*, Berlin / New York
   1985, Sp. 1164–79, sowie Fischer (1968), Ziegeler (1985).
4 Vgl. Rüdiger Brandt, ›erniuwet‹. *Studien zu Art, Grad und Aussagefolgen
   der Rolandsliedbearbeitung in Strickers »Karl«*, Göppingen 1981.

waren auch die Themen des modischen arthurischen
Romans, der eine glänzende höfische Welt in den vielfältig-
sten Schattierungen inszenierte und dabei die Welt des *senti-
ments*, der Humanität und der Individualität der Poesie
mehr und mehr, freilich erst ganz zaghaft, erschloß. Die alte
heroische Dichtung lebte durch die höfische Einfärbung des
*Nibelungenliedes* und der Dietrichepik neu auf, und auch
die religiöse Dichtung, namentlich im Gewand der Legende,
setzte den irdischen Helden erfolgreich die ihrigen entgegen,
die nach Möglichkeit dem neuen Zeitgeschmack etwas ange-
paßt waren.

Unter den Lyrikern waren u. a. Walther von der Vogelweide
und Neidhart noch am Leben. Neidhart hatte die Figur des
Dörpers, des Grobians, in die zeitgenössische Dichtung
eingeführt, den Repräsentanten antihöfischen Verhaltens.[5]
Wernher der Gärtner, der Dichter des *Mære von Helm-
brecht*, der wie der Stricker in seinen kleineren Texten an
einem aktuellen Thema die Lehre des *ordo*, der durch die
Tradition geheiligten Welt- und Rechtsordnung, entwik-
kelte, Freidank, der Verfasser der Sprüchesammlung
*Bescheidenheit*, und Rudolf von Ems, dem wir u. a. umfang-
reiche religiöse und historische Epen verdanken – sie alle
dürften derselben Generation wie unser Dichter angehört
haben. Andere Namen wären zu nennen: fühlte man sich
jedoch im allgemeinen der höfischen Zivilisation verpflich-
tet, die man gegen bäuerliche und städtische Kultur vertei-
digte, so setzte der Stricker auch hier Fragezeichen.

## Der Dichter

Die Lebenszeugnisse über den Stricker sind reichhaltig: es
sind seine Dichtungen, und das eine oder andere seiner
privaten Verhältnisse könnten wir aus ihnen ermitteln –
wenn wir nicht immer wieder im Zweifel darüber wären,

5 Vgl. dazu Günther Schweikle, *Neidhart*, Stuttgart 1990 (SM 253), S. 123 ff.

was denn nun Fiktion, was Realität sei. So bleibt uns nur ein vorsichtiges Herantasten:[6] nicht nur auf dem Weg über die Texte, sondern auch über Namen und Sprache sowie Fremdzeugnisse.

Er selbst stellte sich nur einmal vor, in seinem ambitionierten Frauenpreis *Die Frauenehre* (M. 3),[7] einer Gattung, die damals in Mode kam. Der Erzähler läßt einen Kritiker seine Skepsis, ob der Dichter denn zu seinem Vorhaben überhaupt befähigt sei, deutlich Ausdruck verleihen:[8]

> *Ditz ist ein schœnez mære,*
> *daz ouch nu der strickære*
> *die vrouwen wil bekennen!*
> *ern solde si niht nennen*
> *an sînen mæren, wære er wîs.*
> *sîn leben und vrouwenprîs,*
> *die sint ein ander unbekant –*
> *ein pfert und alt gewant,*
> *die stüenden baz sînem lobe.*

(»Das ist ja eine schöne Geschichte, daß jetzt auch schon der Stricker über die Damen Bescheid wissen will! Wäre er klug, dann würde er sie in seinen Erzählungen nicht einmal erwähnen. Sein Leben und der Preis der Damen, die haben miteinander nichts zu schaffen – ein Pferd und alte Sachen zum Anziehen entsprächen seinem Lob schon eher.«)

6 Dies läßt Hermann Menhardt, »Der Stricker und der Teichner«, in: Beitr. (Tüb.) 84 (1962) S. 266–295, vermissen, der den Dichter aufgrund zahlreicher bäuerlicher Bilder in den Texten zum Bauernsohn machen möchte und auch sonst mit spekulativen Überlegungen nicht hinter dem Berge hält.

7 Hans-Herbert Räkel, »Die *Frauenehre* von dem Stricker«, in: Alfred Ebenbauer [u. a.] (Hrsg.), *Österreichische Literatur zur Zeit der Babenberger. Vorträge der Lilienfelder Tagung 1976*, Wien 1977, S. 163–176.

8 M. 3, V. 137–145; ich zitiere – wie auch im folgenden – aus Moellekens Ausgabe nach den im Anhang genannten Kriterien; hs. *schœn* wurde aus metrischen Gründen in *schœnez* geändert.

Es liegt nahe, sei die Situation nun real gewesen oder fingiert, in dem Kritiker einen Zuhörer zu sehen, der sich über die Anmaßung des Dichters erregte, einen Preis der höfischen Dame anzustimmen, obwohl dieser offenbar ein etwas heruntergekommener Vagabund war, ein Fahrender eben, der sich mit den für diese Gruppe typischen Geschenken, Pferd und Mantel, zu bescheiden habe. Ganz im Sinne der Texte, die der Autor selbst verfaßte, würde er gegen seinen Stand handeln, ja wider die Ordnung (den *ordo*), die Gott den Menschen gesetzt hat. Der Dichter versucht im folgenden den Skeptiker zu beruhigen: Er solle erst einmal abwarten, was er denn zu hören bekomme; so unbekannt seien ihm die Damen gar nicht, und auch Gott rühmten viele, obwohl sie ihn noch nicht gesehen hätten. Er aber habe viele Frauen gesehen und von ihren zahlreichen Tugenden gehört.

Ist dies nicht bloß ein rhetorischer Kniff, um das folgende brillante Wissen über die Tugenden der Frau um so erstaunlicher erscheinen zu lassen – ein Topos der Bescheidenheit und des Nichtwissens –, dann nähern wir uns dem Ambiente des fahrenden Dichters, der, auf klapperigem Gaul – sonst ritte er wohl ein *ros*, kein *pfert* – und in alte Sachen gekleidet, die Herren- und Fürstenhöfe bereist, um sein Lied zu singen und davon zu leben.

Zur Lebenswelt eines Fahrenden würde ebenso der Name, augenscheinlich ein sprechender Name, passen. Wir kennen ihn auch sonst,[9] er gehört zu mhd. *stricken* ›zusammenfügen, verknüpfen, schnüren, heften, flechten, binden‹. Ein *stricker/strickære* ist einer, der Stricke anfertigt, also ein Seiler, aber auch einer, der sie legt, ein Fallensteller;[10] eine

---

9 Um 1190 ist ein Heinricus Strichaere genannt. Vgl. Ludwig Jensen, *Über den Stricker als »Bîspel«-Dichter, seine Sprache und seine Technik unter Berücksichtigung des ›Karl‹ und ›Amis‹*, Marburg 1886, S. 22; John Meier, Rezension, in: *Literaturblatt für Germanische und Romanische Philologie* 13 (1892) S. 217–220; Franz Pfeiffer, »Litteratur«, in: *Germania. Vierteljahrsschrift für deutsche Alterthumskunde* 2 (1857) S. 491–505.

10 So bezeugt in einer Rechtsquelle für das Jahr 1340: Lexer II, Sp. 1238.

*strickerin/strickærinne* nennt Gottfried von Straßburg die Frau Minne, also »Verstrickerin, Zauberin«[11]. So wären zwei seriöse Möglichkeiten plausibel:

1. Der Dichter wurde nach seinem Stand benannt – er wäre ein Handwerker, lebte in einer Stadt, wäre vielleicht, wenn er dort Bürgerrechte besäße, ein »Bürger« (mhd. *burgære*). Dies leuchtete schon jenen ein, die ihn den »ersten Philister in der deutschen Literatur«[12] schalten, heute wird es von jenen vertreten, die, marxistisch, das späte Mittelalter vor allem als eine Epoche des (Früh-)Bürgertums sehen, das Stück für Stück dem maroden Feudalsystem den Garaus bereitet hätte.[13] Unser Dichter müßte dann irgendwann seine Seile an den Nagel gehängt und das Leben eines fahrenden Sängers ergriffen haben. Denn daß er herumzog, ergibt sich aus Sprache und Texten: in Franken und Österreich scheint er seine Kunst ausgeübt zu haben.
2. Der Dichter sah in sich jemanden, der sein Publikum bestrickt und fesselt, durch seine Erzählungen bezaubert.

Welcher der beiden Punkte nun zutrifft, wissen wir nicht, zumal beide möglich wären.

Erzählungen wie *Die Herren zu Österreich* (M. 8), *Die Gäuhühner* (M. 36) oder *Die schreiende Klage* (M. 91)[14] legen einen längeren Aufenthalt des Dichters im Südosten des Reiches nahe. Sprachliche Indizien[15] verweisen in das nördlich angrenzende südliche Rheinfranken. So bleibt der

11 Gottfried von Straßburg, *Tristan*, nach dem Text von Friedrich Ranke neu hrsg., ins Neuhochdeutsche übers., mit einem Stellenkomm. und einem Nachw. von Rüdiger Krohn, Stuttgart 1980, 3., neu bearb. Aufl. 1991, V. 12176.

12 Gustav Rosenhagen, »Der *Pfaffe Amis* des Strickers«, in: Paul Merker / Wolfgang Stammler (Hrsg.), *Vom Werden des deutschen Geistes*, Festgabe für Gustav Ehrismann, Berlin/Leipzig 1925. S. 149–158, hier S. 158.

13 Vgl. vor allem die einschlägigen Arbeiten von Wolfgang Spiewok (1964; 1982; 1990: Art. in R. Bräuer).

14 Hier V. 10f.: *diu klage ist offenliche komen / ze österriche in daz lant.*

15 Dazu vor allem: Konrad Zwierzina, »Mittelhochdeutsche Studien, 9«, in: ZfdA 44 (1900) S. 345–406, hier S. 351 ff.; ders., »Mittelhochdeutsche

weite Raum Süddeutschlands, eher das Donau- als das
Rheingebiet, und man nimmt gerne an – doch auch dies
muß letztlich offenbleiben –, daß er aus der fränkischen
Heimat ins bayerisch-österreichische Sprachgebiet gewan-
dert sei.

Die Schaffensdaten sind nur ungefähr zu ermitteln. Der
Stricker gehörte zur nachklassischen Generation, denn seine
beiden umfangreichen Epen, die wir an den Anfang seiner
dichterischen Tätigkeit setzen, sind Zeugnisse eines produk-
tiven Epigonentums. Aus den kleineren Texten ergeben sich
keine sicheren Daten. Rudolf von Hohenems bemerkte im
Rahmen eines allgemeinen Dichterpreises:[16]

> *swenn er wil der Strickære*
> *sô macht er guotiu mære.*

(»Wenn er will, der Stricker, dann erzählt er wirklich
gute Geschichten.«)

Eine etwas süffisante Charakteristik, aus der auch hervor-
geht, daß der Stricker in den dreißiger Jahren des 13. Jahr-
hunderts noch am Leben war; vielleicht auch, wenn man den
Begriff *mære* auf die kleineren Erzählungen beschränken
darf, daß gerade diese seinen poetischen Ruhm begrün-
deten.[17]

Keiner der Texte fiele so aus der geistig-sozialen Atmo-
sphäre der ersten nachklassischen Periode heraus, deren
Literaten einer Welt, deren Ordnungen sie in der Auflösung
begriffen sahen, die alte heilige Ordnung mahnend entge-
genhielten – eine »konservative«, die ethischen Werte der

---

Studien, 10«, in: Ebd., 45 (1901) S. 19–100, hier S. 27 f., 59–61, 70 f.; Arno
Schirokauer, »Studien zur mhd. Reimgrammatik«, in: Beitr. 47 (1923)
S. 1–126, hier S. 26, 113.

16  Rudolf von Ems, *Alexander*, zit. nach: Günther Schweikle (Hrsg.), *Dichter
über Dichter in mittelhochdeutscher Literatur*, Tübingen 1970, S. 21.

17  Vgl. auch Rudolf von Ems, *Willehalm*, V. 2230–33, in denen auf Strickers
*Daniel* hingewiesen wird (vgl. ebd., S. 25).

Vergangenheit bewahrende, bisweilen verklärende Grund-
haltung, die wieder und wieder – übrigens auch schon von
den Klassikern der höfischen Dichtung selbst – in den
variantenreichen Topos der *Laudatio temporis acti* gefaßt
wurde.

## Publikum, Mäzen, Auftraggeber

Der Stricker war, wenigstens eine gewisse Zeit seines
Lebens, nicht seßhaft und, nach allem, was wir von den
Lebensumständen mittelalterlicher Dichter wissen, von Mä-
zenen und Auftraggebern abhängig,[18] ein fahrender Dich-
ter.[19] Versuchen gegenüber, in Strickers Texten konkrete
politische Beziehungen nachzuweisen, wird man skeptisch
bleiben müssen, weil die möglichen Anspielungen auch in
einem allgemeineren Rahmen verstehbar sind und weil bei
vorsichtiger Analyse alles in einem »Könnte-sein« endet.
Um die mäzenatischen Bindungen des Dichters an einen
Landesherrn nachzuweisen, hat man vor allem *Die Gäu-
hühner* (M. 36) und *Die beiden Knappen* (M. 4) bemüht.
Man könnte sie »als Aufforderung an bestimmte Kreise des
Kleinadels« verstehen, »sich zur Wahrung des Rechts im
Lande in den Dienst des Landesherrn zu stellen«,[20] der das
gute alte Recht repräsentiert, dessen Symbol die Hühner

---

18 Grundlegend Joachim Bumke, *Mäzene im Mittelalter. Die Gönner und die
Auftraggeber der höfischen Literatur in Deutschland 1150–1300*, München
1979. Ein bestimmter Mäzen ist allerdings, trotz verschiedener Bemühun-
gen, nicht überzeugend nachweisbar.

19 Vgl. u. a. Piet Wareman, *Spielmannsdichtung*, Amsterdam 1951; Walter
Salmen, *Der fahrende Musiker im europäischen Mittelalter*, Kassel 1960;
Peter Gülke, *Mönche/Bürger/Minnesänger. Musik in der Gesellschaft des
europäischen Mittelalters*, Wien [u. a.] 1975; Antonie Schreier-Hornung,
*Spielleute, Fahrende, Außenseiter. Künstler der mittelalterlichen Welt*,
Göppingen 1981; Ragotzky (1981) S. 34–38.

20 Joachim Heinzle, »Wandlungen und Neuansätze im 13. Jahrhundert«, in:
J. H. (Hrsg.), *Geschichte der deutschen Literatur von den Anfängen bis
zum Beginn der Neuzeit*, Bd. 2,2, Königstein i. Ts. 1984, S. 29 f.

sind.[21] Als Landesherr käme dann wohl nicht mehr der
große Förderer des kulturellen Lebens Leopold VI. (1198 bis
1230) in Frage, sondern dessen Sohn und Nachfolger Fried-
rich II. (1230–46), der letzte Babenberger – wobei die Frage
offenbliebe, warum der Dichter gerade ihm, dem Herri-
schen und Rücksichtslosen, der sich nicht nur zeitweilig mit
dem Kaiser, sondern auch mit den Klöstern und mächtigen
Ministerialen seines Landes überwarf, seine Kunst hätte
widmen sollen. Die apokalyptische Stimmung in den *Gäu-
hühnern* wäre, soll sie denn aktuell politisch geortet werden,
eher der Zeit der Mongolen- und Ungarneinfälle zuzuschrei-
ben, die bis vor Wiener Neustadt reichten und in deren
Verlauf der Herzog fiel (Schlacht an der Leitha 1246). Das
Geschlecht der Babenberger war damit erloschen, die öster-
reichischen Länder waren verwaist, bis 1251 die österreichi-
schen und steirischen Ministerialen Premysl Ottokar II. von
Mähren ins Land riefen, um sich der bayerischen und unga-
rischen Ansprüche zu erwehren.

Die Sorge um die Wahrung der ethisch-religiösen Werte war
für den Stricker die ideologische Grundbedingung seiner
Poesie, ohne daß sie überall in gleicher Intensität spürbar
wäre, ohne daß sie aber auch gleichsam als eine Auftrags-
sorge interpretierbar wäre, eine Sorge nur im Dienste der
Mäzene. »Wes Brot ich eß, des Lied ich sing« – eine Formel,
die unterstellt, daß Denken und Sagen nicht identisch seien:
Man mag sie für kleinere Geister gelten lassen. Für den
Stricker will mir diese plumpe Weisheit nicht einleuchten,[22]
denn er sang nicht nur ein gefälliges Lied, er forderte dabei
auch den Intellekt und die Religion. Sein Lied als Verlangen
nach dem *ordo divinus* (›göttliche Ordnung‹) richtete sich
gegen alle, die diesen verletzten. Es war nicht nur ein stän-

21 Vgl. Ehrismann (1986) S. 185 ff.; vor allem: Joachim Bumke, »Strickers
   *Gäuhühner*. Zur gesellschaftsgeschichtlichen Interpretation eines mittel-
   hochdeutschen Textes«, in: ZfdA 105 (1976) S. 210–232; Ragotzky (1981)
   S. 205–220.
22 Vgl. auch Rocher (1980) S. 244.

disches Lied, bei dem das adlige Publikum sich beruhigen
konnte, weil vorzugsweise die bäurischen Angriffe auf seine
Position abgewehrt wurden; es tendierte über die ständi-
schen Bindungen hinaus in jene religiösen, ethischen und
geistigen Bindungen, die alle Menschen betreffen. Dieses
Lied sollte beunruhigen, indem es die Ruhe des *ordo* pries.
Es sorgte sich nicht speziell um den Zerfall des Adels,
sondern um den der Welt. Der Respekt galt jedem, der, wie
der Volksmund sagt, bei seinem Leisten blieb, und deshalb
ist es keine Gesinnungslumperei und kein Betteln nach Brot,
wenn der Fahrende die traditionelle Sozialordnung gewahrt
wissen wollte, in der es seinen Mäzenen und Auftraggebern
so viel besser ging als ihm.[23]

Man wird nicht behaupten können, daß die nachklassische

23 Diese allgemein gehaltenen Bemerkungen werden in den Kommentaren zu
den einzelnen Texten konkretisiert. Eine Zeitlang ist das »Lesen gegen den
Strich« Mode gewesen, so daß der Stricker zum »frühbürgerlichen Poeten«
mit »emanzipatorischen« Ambitionen avancieren konnte; ich möchte hier
darauf hier nicht näher eingehen (vgl. z. B. Hannelore Christ, »Frauenemanzi-
pation durch solidarisches Handeln. *Das erzwungene Gelübde* des Stricker
im Deutschunterricht«, in: Helmut Brackert [u. a.] (Hrsg.), *Literatur in der
Schule*, Bd. 2: *Mittelalterliche Texte im Unterricht*, Tl. 2, München 1976,
S. 36–92). Recht einseitig und namentlich die Ästhetik der Texte, aber auch
deren Plurivalenz vernachlässigend sind die Analysen von Spiewok (1964
und 1990), die sich auch in der Art seines Übersetzens niederschlagen (vgl.
Spiewok, 1982): Parteinahme für die kämpfenden Bauern (*Die Gäuhüh-
ner*), für die Interessen der »Armen« (*Der Richter und der Teufel*), nur
Einigkeit hilft gegen Herrengewalt (*Die reiche Stadt, Der Riese*); insgesamt:
»Interessenvertretung der Volksmassen«, »bewußte Aufnahme und Vertre-
tung bürgerlich-plebejischer Ideologie« (1964, S. 324). Angesichts der
»günstigen wirtschaftlichen und sozialen Stellung« (Karl Lechner, in: *Terri-
torien-Ploetz*, Bd. 1, S. 630) des in Frage kommenden niederösterreichi-
schen Bauerntums sind derlei Formulierungen historisch wenig glaubhaft.
So unterstellt Spiewok dem Dichter Widersprüche, Ungereimtheiten und
Brüche, ohne zu reflektieren, daß es sich um negative bzw. positive
Exempel ein und derselben Idee handelt, die die Texte bestimmt und die
durchaus nicht immer konform ist mit der »feudalen« Realität, dem *ordo*,
ein Begriff, den Spiewok konsequent meidet. Statt dessen liest man von der
»großen Idee eines von Gerechtigkeit, Sicherheit, Stabilität, Vernunft und
Gottbezogenheit bestimmten Sozialwesens« (1990, S. 484) – ein Wider-
spruch übrigens zur These von den Ungereimtheiten, denn hier wird ja

Poesie insgesamt (oder besonders die des Stricker) über die
Maßen klassen- oder kulturkämpferisch ausgerichtet gewe-
sen wäre, daß sie gar ein geschärftes historisches Bewußtsein
besessen hätte. Naheliegender wäre es anzunehmen, sie
hätte ihrer Klientel ideologische Rückendeckung verschaffen
wollen, ohne selbst – weil man ja glaubte, was man sagte –
den Rücken krümmen zu müssen. Den niederösterreichi-
schen Bauern, die auf weitem Rodeland siedelten, ging es
gut;[24] sie wollten, daß es ihnen besser ginge, und drängten in
die Etagen der Herrschaftsverwalter. Hier lag einer der
Angriffspunkte des Mären- und Schwankdichters – in kaum
einer Geschichte wird dies sinnfälliger als in der Allegorie
*Der Hofhund und die Jagdhunde*.
Die adlig-ritterliche Welt von Tugend und Ehre hatte jetzt
nur noch einen bedingten Wert, die Lehre zielte auf das
praktische Handeln. Nicht mehr die ästhetische Verschlüs-
selung, die dem Hörer die Anstrengung des Dechiffrierens,
die Anstrengung der Kunst abverlangte, war das Ziel, nicht
mehr also das alltagsenthebende höfische Fest[25], sondern der
Alltag des Hoflebens. Das Publikum können wir freilich
nicht festmachen, von den Texten aus ergibt sich kein fest
umrissener Resonanzraum, verbietet sich jede einseitige
Fixierung. Es wird sich an den Höfen befunden haben –
womit über deren Rang allerdings noch wenig ausgesagt
ist –, und man dürfte es wohl auch auf dem städtischen
Markt, zuweilen im religiösen Raum suchen, ohne daß die
Texte dadurch schon zur breiten volkstümlichen Unterhal-

---

durchaus ein einheitsstiftendes Moment gesehen, wie es einer »Bekenntnis-
dichtung« gut anstünde. Zu »idealistisch« freilich, und deshalb darf es sie
nicht geben – an ihrer Stelle »Auftragskunst« (S. 484).

24  Vgl. Anm. 23; Otto Brunner, *Land und Herrschaft. Grundfragen der
territorialen Verfassungsgeschichte Österreichs im Mittelalter*, Wien
⁵1965.

25  Vgl. einführend zur Festkultur: Walter Haug / Rainer Warning (Hrsg.), *Das
Fest*, München 1989 (Poetik und Hermeneutik, 13); Uwe Schultz (Hrsg.),
*Das Fest. Eine Kulturgeschichte von der Antike bis zur Gegenwart*, Mün-
chen 1988.

tung geworden wären.[26] Zwar läßt sich einigermaßen plausibel machen, daß die geistlichen Stücke einem »Laienpublikum ohne Schulbildung«[27] auf den Leib geschnitten sind, ganz wie die Predigtmärlein der Kirche, die zur selben Zeit aufblühten; doch bleibt auch hier noch jedes Publikum möglich, so wie auch die Schwänke nicht vor der Klosterpforte und dem Palas des Landesherrn haltgemacht haben dürften. Viel zu lange hat die Germanistik hohe Kultur mit hohem Sinn, frommen Stand mit allzeit frommem Tun gleichgesetzt und ihre einseitigen Folgerungen daraus gezogen.

## Stoff, Lehre und Erzählform

Der Dichter kündete direkt und indirekt vom Ideal des *ordo*. Seine Stoffe, die er ergriff, um sie ethisch-religiös nach den Normen seiner Epoche einzufärben, konnten freilich einen eigenen Weg gehen. Sie hätten der zeitlose Sprengstoff des »kleinen Mannes« gegen die Mächtigen sein können – wenn sie vom Stricker in dieser Weise genutzt worden wären. Aber als gesellschaftlicher Sprengstoff interessierten sie ihn nicht – bleibt doch ohnehin die im vergangenen Jahrhundert entwickelte Parole des originären Gegeneinanders von Adel und Bürgertum höchst fragwürdig.[28] Stadtgemeinde und adlige Herrschaft des Mittelalters beruhten auf gemeinsamen Grundlagen; Land- und Stadtadel, Landadel und städtische Oberschicht waren eng miteinander verbunden, und die Stände – Adel, Bürger und Bauern – waren in sich vielfach

26  Vgl. Fischer (1968) S. 220–245, dem in vielen Punkten zuzustimmen ist, der jedoch – in einer gewissen verständlichen Gegenbewegung zur damaligen Forschungsmeinung – das Publikum wohl generell zu hoch ansiedelt; vgl. jetzt Jonas (1987).

27  Wailes (1981) S. 81.

28  Ursula Peters, »Stadt, ›Bürgertum‹ und Literatur im 13. Jahrhundert. Probleme einer sozialgeschichtlichen Deutung des *Pfaffen Amis*«, in: *Zeitschrift für Literaturwissenschaft und Linguistik* 7 (1977) S. 109–126.

nach Rängen untergliedert und nur schwer als feste Einheiten zu erkennen.

Die Stoffe, die z. T. weit in die Tradition der äsopischen Fabel zurückreichen, interessierten den Erzähler als Material seiner Kunst des Gestaltens und Sinngebens. In der Regel waren diese Stoffe mit vielfältigen Prädispositionen belastet: so z. B. das Bild des tölpelhaften Bauern durch eine auf die antike Urbanität zurückgehende vagantische Tradition,[29] das Bild des geilen Dorfpfaffen durch den konventionellen Spott der gelehrten – auch urbanen – Geistlichkeit, das Bild der bösen Frau durch eine weit in die Antike zurückreichende patriarchale Misogynie, die seit dem Mittelalter mehr und mehr theologisch unterfüttert wurde.[30] Solche Traditionen wurden nicht zwingend (nur) als unmittelbarer Reflex der aktuellen sozialen Realität aufgegriffen. Deshalb muß der Interpret mit dem Dilemma leben, das Verhältnis von erzählter zu realer Welt nicht befriedigend lösen zu können: Jedenfalls wäre es methodisch sehr problematisch, die fiktive Welt des Stricker als Abbild der realen verstehen zu wollen, wenn sie freilich auch realistische Züge aufweisen kann.

Land und Stadt waren noch eng miteinander verflochten, das literarische Leben setzte freilich seine eigenen Schwerpunkte: die höfische Ritter- und Minnedichtung gab sich urban,[31] blieb jedoch ländlich geprägt, auf die Burg bezogen, und auch die heroische Dichtung gehörte dem Land. Mit dem Stricker begab sich die Poesie nun in die Stadt, sie streifte das Gewand von Liebe und Abenteuer ab und zog sich dasjenige der Vernunft über, sie gewann eine neue, weil intellektuelle, Urbanität. Dies gilt als Tendenz, nicht für jeden der Texte – und vor allem schließt es die Fähigkeit des guten und schönen Erzählens nicht aus.

Die neue Urbanität schmückte sich mit der Kunst der theo-

---

29  Vgl. Jacques Le Goff, »Die Stadt als Kulturträger 1200–1500«, in: Cipolla/
    Borchardt (1983) S. 45–66, hier S. 45.
30  Vgl. Rocher (1980).
31  Vgl. Otfrid Ehrismann, »Höfisches Leben«, in: EM 6, Sp. 1154–65.

logischen Interpretation, der Allegorese, die aus dem Klo-
ster stammt – doch seinerseits den städtischen Strukturen
eng verwandt ist.[32] Dabei galt das Material, der Buchstabe,
bloß als der Stellvertreter des eigentlichen Sinnes, es wurde
in der neuen predigtgleichen Dichtung auf den theologi-
schen Sinn hin transparent gemacht – nicht überall, aber in
vielen der Gleichnisse und der längeren Erzählungen.[33] Wer
so tief in der religiösen Tradition stand, war kein »Aufklä-
rer«,[34] mochte er noch so sehr dem Ideal der *prudentia/
sapientia*, der Vernunft, verbunden sein, andererseits sollte
man nicht in jedem Fall von der Applikation der Methode
auf den Geist des Erzählers bzw. der Erzählung schließen.
Dieser erschließt sich erst aus den Inhalten.

Hier gibt es durchaus eine gegenläufige Bewegung innerhalb
der Stricker-Texte, die auf die zunehmende Säkularisierung
des Denkens seit dem ausgehenden 12. Jahrhundert reagie-
ren. Sehr deutlich wird dies an der Betonung der (naturge-
mäßen) »Art« (mhd. *art*): das Katzenauge bleibt ein Katzen-
auge, auch wenn es dem König implantiert wird (M. 2); der
Kater muß mit der Katze vorliebnehmen, auch wenn er nach
einer höheren Ehe strebt (Nr. 3). Die Reflexion der *art*, der
*natura*, ist zum einen eingebunden in die zeitgenössische
Theologie, zum anderen aber im 13. Jahrhundert auch schon
ein Zeichen der philosophischen Erkenntnis einer eigenge-
setzlichen Natur.[35]

Der allegorisierende Blick des Mittelalters auf die Erschei-
nungen der Welt ist das präzise Gegenteil des (antisymboli-
stischen) postmodernen Blicks, wie ihn etwa Thomas Bern-
hard in seinem Roman *Korrektur* formuliert: »Wir dürfen
nicht so weit kommen, nicht so weit gehen, daß wir in allem

---

32 Vgl. Anm. 29: Le Goff (1983) S. 49 ff.
33 Genaueres im Anhang, S. 244. Vgl. allgemein: Max Wehrli, *Literatur im
   deutschen Mittelalter. Eine poetologische Einführung*, Stuttgart 1984.
34 Vgl. dagegen die Literaturangaben in Anm. 23 und Köppe (1977).
35 Vgl. Rolf Sprandel, *Mentalitäten und Systeme. Neue Zugänge zur mittel-
   alterlichen Geschichte*, Stuttgart 1972, S. 57 ff.

und jedem eine Merkwürdigkeit vermuten, etwas Rätselhaftes, Bedeutungsvolles [...]. Alles ist das, das es ist, sonst nichts. Wenn wir für uns alles, das wir wahrnehmen und also sehen und alles, das, das in uns vorgeht, immerfort an Bedeutungen und an Rätsel knüpfen, müssen wir früher oder später verrückt werden [...].«[36] Und in demselben Geist schreibt Umberto Ecco in seinem Roman *Das Foucaultsche Pendel*: »Wir, und mit uns jeder, der einen verborgenen Sinn hinter den Buchstaben sucht, wir sind übergeschnappt und verrückt geworden.«[37]

Die durchgehende, durch die Theologie anerzogene Neigung zur Allegorie spiegelt sich in Inhalt und Struktur der Stricker-Texte. Es ist eine duale/polare Struktur – der *narratio* (›Erzählung‹) folgt die *moralisatio* (›Lehre‹):[38] Gut und Böse, besser – denn das Mittelalter personifizierte, sah nicht so abstrakt – Gott und Satan standen sich in vielfältigen Varianten gegenüber, allzeit war der Mensch von den verführerischen Teufeln bedroht: Es bestand die Neigung, utilitaristisch zu werten und das Erfolgreiche mit dem Guten gleichzusetzen.

Die gesamte Erzähl- und Überzeugungsstrategie des Stricker baut auf einfachen Dichotomien auf und erweist dadurch ihren geistlich-populistischen Charakter. Hinsichtlich der geistlich-moralischen Dinge bevorzugte er die Gestik des engagierten Lehrers, nicht die des großen Weisen, der den Lauf der Welt reflektiert, wie etwa Walther von der Vogelweide in seinen Sprüchen im Reichston. Dort, wo er »nur« erzählte, etwa im *Klugen Knecht* (Nr. 15), konnte er dem Erzählen eine eigene Dynamik geben, welche die Geste des Lehrers relativierte, freilich im Epimythion wieder aufnahm.

Walter Haug hat dieses Verlangen nach »pragmatischer Moralistik« auf das seit dem ausgehenden 12. Jahrhundert zu

36  Thomas Bernhard, *Korrektur*, Frankfurt a. M. ²1984, S. 172.
37  Umberto Ecco, *Das Foucaultsche Pendel*, München/Wien 1989, S. 665.
38  Vgl. eingehender im Anhang, S. 244.

beobachtende Auseinanderdriften von Gott und Welt (auch:
Innen und Außen), das er als Bewegung gegen die »rück-
sichtslose Aszetik« des frühen und hohen Mittelalters inter-
pretiert, zurückgeführt: »Die Welt wird auf sich selbst
zurückgeworfen. Man verlangte konkrete, spezifische Leh-
ren für das Verhalten im Diesseits.«[39] Der Verlust der Mitte,
der *mâze* des höfischen Lebens, förderte die Sehnsucht nach
ihr, nach dem *ordo*, der nun nicht mehr als idealisiertes
Leben darstellbar, sondern nur noch als Didaxe rückholbe-
dürftig erschien. Damit verschärfte sich auch die Distanz
zwischen Wirklichkeit und Fiktion, die der höfische Roman
an nicht wenigen Stellen im Rahmen seiner Festkultur noch
zu überbrücken vermochte.

Die Gestik der Moralisierung ist gattungsgesteuert, und sie
unterliegt dem Zwang, an die einfachen Lebensweisheiten
anzuknüpfen. Deshalb sind die Moralisationen der Mären in
der Regel nicht diskursiv entwickelt; sie sind oftmals einsei-
tig und stehen sogar im Gegensatz zur Ästhetik des übrigen
Textes. Die in der höfischen Dichtung erreichte komplexe
Gefühls- und Reflexionskultur sowie das hohe ästhetische
Niveau wird in der traditionell simplifizierenden, auf klare
und überschaubare Strukturen abhebenden didaktischen
Geste nicht angestrebt. Dem Dichter deshalb die Fähigkeit
abzusprechen, es anders zu können, oder ihn gar von hier
aus sozial einordnen zu wollen, wäre sicherlich verfehlt.[40]
Die Ausdeutungen der Fabeln, die Epimythien der Mären,
die allegorischen Exegesen der Bispel und die bloße Didaxe

---

39 Walter Haug, »Von der Idealität des arthurischen Festes zur apokalypti-
   schen Orgie in Wittenwilers Ring«, in: W. H. / Rainer Warning (Hrsg.),
   *Das Fest*, München 1989 (Poetik und Hermeneutik, 14), S. 157–179, hier
   S. 169.
40 Zur Akzeptanz der didaktischen Dichtung in Deutschland vgl. Dieter
   Wuttke, »Didaktische Dichtung als Problem der Literaturkritik und der
   literaturwissenschaftlichen Wertung. Ein wissenschaftspolitischer Essay
   (Friedrich Dürrenmatt, Günter Grass, Der Stricker)«, in: D. H. Green
   [u. a.] (Hrsg.), *From Wolfram and Petrarch to Goethe and Grass. Studies in
   Literature in Honour of Leonard Forster*, Baden-Baden 1982, S. 603–622
   [zu Strickers *Daniel*].

der Reden – sie alle arbeiten mit dem Moment der Lebensnähe und praktischen Verwertbarkeit, nicht der Nachdenklichkeit und der Logik der Schlußfolgerung – bzw. diese
Logik ist eine andere, die sich nicht aus dem Vorgang oder
der Sache, sondern aus der Absicht und dem didaktischen
Überbau ergibt. Wohl deshalb entsprechen sie so wenig
unserer Erwartungshaltung. Wenn dem *Klugen Knecht* die
Lehre von der *gevüegen kündikeit* aufgesetzt wird, so ist
dies zwar noch relativ vorgangsnah, aber dennoch nicht
kausal-genetisch entwickelt und von der Sache her zufällig,
insofern ganz andere sachbezogene Epimythien möglich
wären, etwa hinsichtlich der Ehemoral. Vom didaktischen
Überbau her vollzieht sich die Lehre freilich nicht zufällig:
der Erzähler beabsichtigt, einen Kasus der *gevüegen kündikeit* zu präsentieren, und dazu ist das Material dieses Kasus
verhältnismäßig zweitrangig. Lévi-Strauss würde hier vielleicht von einem »wilden Denken« sprechen können,[41]
jedenfalls hat er uns gelehrt, dieses von dem unseren abweichende Denken als ein eigenständiges zu akzeptieren.
Wer lehrt, hält den Menschen für veränderbar und wünscht
seine Veränderung. Der Stricker beherrschte dabei eine
breite Tastatur vom Konkreten bis zum Abstrakten: von der
reflektierenden Rede zum anschaulichen Märe oder zur
Fabel, die wegen ihrer ausgedehnten Moralisation oft genug
zur Rede neigt. Und er verlangte die Interpretationskunst
des Statt-dessen: über die literale (»buchstäbliche«) Ebene
hinaus sollte das Publikum die symbolische (meist allegorische, d. h. deutlich vom Erzähler festgelegte) erschließen.
Der Märendichter wollte dabei nicht über die Antriebe des
menschlichen Handelns nachdenken, er suchte die Änderung des Handelns durch Nachahmung desjenigen Handelns
zu erreichen, das in der Erzählung dargestellt wurde.
Anders der Dichter der Rede, der die Antriebe des Handelns

---

41 Vgl. u. a. Claude Lévi-Strauss, *Das wilde Denken*, Frankfurt a. M. 1977;
ders., *Traurige Tropen*, Frankfurt a. M. 1979.

mitreflektiert. Wieder anders der Dichter von Fabel und
Bispel, der das Handeln anhand des erzählten Abbildes
verändern möchte.[42] In solchen Genres können die Figuren
jenseits ihrer sozialen Situierungsmöglichkeit zu Chiffren
werden: der Bauer zur grobianischen, der Ritter zur höfi-
schen, der Hof zur Chiffre der vorbildlichen Welt.
Hinsichtlich der Theologie hat man diese und jene religiöse
Bewegung fruchtbar machen wollen, am ehesten darf man
die städtischen Bettelorden in Betracht ziehen – doch wie
schon oft, so führt auch dies hier nicht zu sicheren Ergebnis-
sen, denn die Theologie des Fahrenden ist textsortenspezi-
fisch populistisch und vereinfachend, jedenfalls nicht an
einem bestimmten Orden festzumachen. Die religiöse Dich-
tung ist im Werk des Stricker allgegenwärtig (sie ist in der
vorliegenden Sammlung allerdings unterrepräsentiert, weil
sie heute im allgemeinen nur noch das Interesse des Speziali-
sten beanspruchen kann). Es ist eine ziemlich volkstümliche
Theologie, die uns hier begegnet und die mit den gängigen
patriarchalen Mustern und Klischees arbeitet. Dies wird
besonders an dem Frauenbild[43] deutlich, das die Texte ver-
mitteln und für das sie prädestiniert sind. Zwar scheint –
ebenfalls gattungs-, namentlich schwanktypisch – das Bild
der bösen Frau, des *übel wîp*, der Eva, zu herrschen, doch
gibt es ebenso die gute, die Maria, die Heilige (vgl. z. B. *Das
Bloch*, M. 145; *Gebet von den Freuden Marias*, M. 21; *Die
eingemauerte Frau*, in vorl. Ausg. Nr. 17), so wie es neben
dem guten auch den törichten Mann gibt. Das Weltbild des
Stricker ist in diesem Punkt wenig kompliziert, es entspricht
der geistlichen Interpretation: Die Frau ist gut, wenn sie in
ihrer Ordnung bleibt, und dies bedeutet auch, daß sie die
Herrschaft des Mannes über sich anerkennt, die ihrerseits

---

42 Zur Differenz zwischen der Absicht, die Antriebe zum Handeln, und der
   Absicht, die Handlung durch ein Vorbild unmittelbar zu ändern, vgl.
   August Nitschke, *Historische Verhaltensforschung. Analysen gesellschaftli-
   cher Verhaltensweisen – Ein Arbeitsbuch*, Stuttgart 1981, S. 97 ff.
43 Vgl. dazu jetzt Jonas (1987) S. 149–174.

aber keine Willkürherrschaft sein darf. Das Verhältnis der
Geschlechter regelt verbindlich die patriarchale Ehe, die
deshalb immer wieder das Spielfeld der Erzählungen bildet[44]
– *diu heilige ê ist der siben heilikeit einiu der hœhsten, die got
ûf ertrîche hât. Unde dâ von sol dekein kunterfeit* [›keine
Falschheit‹] *dar bî sîn*: so predigte der große kirchliche
Volkstribun Berthold von Regensburg.[45]

In der Verschärfung der Ehethematik, d. h. der Beschrän-
kung der Geschlechterbeziehung auf die legitime Ehe, spie-
gelt sich die zivilisationshistorische Situation, in der der
Stricker erzählt; beispielhaft dafür wären die Predigten des
gerade zitierten Berthold. Des Stricker Gespräch über die
Ehe ist eine Folge jenes Distanzierungsschubs der Ge-
schlechter, den die höfische Kultur (nicht ohne Anleihe
bei der geistlichen, aber mit einem hohen erotischen Mehr-
wert) seit der Mitte des 12. Jahrhunderts durch die Ver-
ehrung der *vrouwe* (›Dame‹) eingeleitet hatte. Im Rahmen
dieser Distanzierung war die männliche sexuelle (vor- und
außereheliche) Freiheit ins Zwielicht geraten. Die Rück-
nahme an sexueller (männlicher) Freiheit, die in der höfi-
schen Lebensform noch durch einen hohen erotischen Stan-
dard ausgeglichen werden konnte, war nach der Krise dieser
Kultur und der verstärkten Kontaktierung mit ehemals ver-
femten Kulturformen während des 13. Jahrhunderts nur
noch durch eine Stigmatisierung der schönen Frau als böses
Weib, als Besessene, kompensierbar. In einer derartigen
Kennzeichnung der Frau bzw. Verschärfung der Ehethema-
tik spiegelt sich demnach – im Kontext einer sich steigernden
generellen Patriarchalisierung der Gesellschaft, innerhalb
derer die höfische Erhöhung der Dame nur eine scheinbare
Gegenbewegung, in Wirklichkeit eine Verstärkung darstell-
te – der Herrschaftsanspruch des Mannes gegenüber der
Frau: satanische Besessenheit wird in den Erzählungen als

---

44  Vgl. hierzu besonders Moelleken (1970).
45  Franz Pfeiffer (Hrsg.), *Berthold von Regensburg. Vollständige Ausgabe
    seiner Predigten*, Bd. 1, Wien 1862, S. 279.

der Trieb definiert, den eigenen Willen durchzusetzen. Der
Frau wird es in zunehmendem Maße verwehrt, Sexualwün-
sche zu äußern. Die Eindämmung der (weiblichen) Gefühls-
welt auf der einen und das Plädoyer für (männliche) Ord-
nungsstrukturen jeder Art auf der anderen Seite: des reli-
giös-sozialen *ordo* ebenso wie des vernünftigen Handelns,
der Vernunft – sie entsprechen sich sehr genau.
Die Didaktik des Stricker ist zwar im wesentlichen theolo-
gisch untermalt, sie wäre aber ohne die Antikerezeption der
klassischen höfischen Dichtung und der Theologie mit
ihrem Ideal des harmonischen Lebens, der *mâze*, kaum
denkbar, und bisweilen klingt sogar die höfische Lebensfor-
mel: »Gott und der Welt gefallen« an. Die Kritik des
höfischen Lebens, die der Stricker übte, ist eine Kritik der
Hoffart, geistlich gewendet: der *superbia*, des Lebensstils
also, nicht der höfischen Ideale. Er fingierte eine Realität des
höfischen Romans oder auch des Minnesangs, wider deren
Lebensformen er vehement zu Felde zog; denen er seine
ganze parodistische Kunst widmete, ohne dabei den ideellen
Überbau über Bord zu werfen, d. h., er versuchte unter dem
weit gewölbten Dach des *ordo* die Welt des Hofes mit der
Theologie der vernünftigen Mitte (Thomas von Aquin[46])
und der Demut zu versöhnen, die er ja auch der Welt der
Bauern predigte. Er blieb hier ganz als Kind seiner Zeit und
versuchte, die auf agrarischer Basis beruhende ständische
Ordnung im Sinne der alten Gottesstaatsidee gegen ihre
aktuellen Zersetzungserscheinungen durch den aufblühen-
den Handel und ein gerade in den südöstlichen Reichsteilen
erstarkendes Bauerntum zu retten.
Seine Lehre hat der Stricker in den verschiedensten Erzähl-
formen entwickelt, wobei ihm die kleinen Formen beson-
ders entgegenkamen: die Fabel, das Exempel und die kurze
Verserzählung, sei sie überwiegend der Entfaltung des Plots
(Märe) oder überwiegend oder gar ausschließlich der Lehre

---

46 Vgl. S. 29 und Anm. 56.

(Rede) gewidmet. Er experimentierte mit den kleinen narrativen Genres, so daß nicht selten ziemlich hybride Formen entstanden.[47] Mit dem *Pfaffen Amîs*[48] hat er den ersten Schwankroman geschrieben, einen Vorläufer des *Pfaffen vom Kalenberg* und *Ulenspiegel*; in den letzteren sind einige Schwänke des *Amîs* eingegangen. Das Erzählen und Lehren ist von den Ansprüchen der Gattung und vom Spiel der Formen, Figuren und Motive her bestimmt, auch vom Kontrast zur höfischen Welt, einem Kontrast, der sicher erheblich mit zur Literarisierung des Genres beigetragen hat. Dies alles müßte der Interpret berücksichtigen, bevor er seinen soziologischen Hobel gegen die Feinheiten der Ästhetik ansetzt. Die narrativen Genres sind primär poetische Genres, keine Sozialdokumente. So wäre z. B. der Knecht in der Erzählung *Der kluge Knecht* (Nr. 15) nicht zum Repräsentanten des »kleinen Mannes« zu erheben; er steht als Typ vielmehr in der Tradition des äsopischen Sklaven-Mythos und darüber hinaus ist er das Medium der Entfaltung der Lehre, hier der vernünftigen Klugheit[49] – doch wären auch die gekonnte Ästhetik der Dechiffrierung und der Entlarvung der pseudohöfischen Welt durch die Parodierung der klassischen höfischen Figurenkonstellation, die realistischen Details und die Komik der Situation zu würdigen, wären die Misogynie, der geile Pfaffe und der tölpelhafte Bauer als gattungskonstituierende Traditionselemente zu sehen.

Hinzu kommt die tiefenpsychologisch komplexe Problemlage bei der Rezeption erotischer und aggressiver Stoffe: Unter Zugrundelegung der dialektischen Witz- und Phantasietheorie (Freud) sind diese durch ihre Literarisierung gerade nicht das, was sie scheinen, nämlich Ausdruck von Sinnlichkeit, Obszönität oder Aggressionslust, sondern Zei-

---

47 Vgl. eingehender im Anhang, S. 230.
48 Hermann Henne (Hrsg.): *Der Pfaffe Amis von dem Stricker. Ein Schwankroman aus dem 13. Jahrhundert in zwölf Episoden*, Göppingen 1991.
49 Vgl. Komm. zu Nr. 15, S. 230.

chen von deren geringerer Akzeptanz, »Symptome eines beginnenden Konflikts zwischen Triebäußerung und (innerer) Triebunterdrückung«.[50] In diesem Sinne könnten – jenseits aller Traditionen und historisch gewachsenen Vorurteile – der geile Pfaffe ebenso wie das böse Weib, der prügelnde Ehemann oder der dumme Bauer zu Projektionsfiguren (negativen Identifikationsfiguren) werden – und zwar in einer zivilisatorisch fortgeschrittenen städtischen und aristokratischen Kultur eher als in einer bäuerlichen, ohne daß sie freilich dort ganz ausgeschlossen sein müßte. Unter einem sozialpsychologischen Aspekt wäre also eine präzise Situierung von Mäzen und Publikum ebenso unmöglich wie unter einem textinhaltlichen, doch käme einer hohen Situierung eine stärkere Plausibilität zu als einer niedrigen.

Ohne Zweifel dürfen wir mit einem gewissen Gattungsbewußtsein der mittelalterlichen Dichter rechnen, auf das sich durch die handschriftlichen Überlieferungsgemeinschaften, in denen die Texte durchaus nicht immer planlos gruppiert sind, schließen läßt. Dennoch spricht gegen eine zu gattungsbetonte Interpretation,[51] daß dem Stricker das planvolle Experimentieren mit (neuen) Texttypen nicht überzeugend zu unterstellen ist, wohingegen die Absicht zu erzählen und zu erklären überdeutlich wird. So entstanden ihm die neuen Textsorten, um deren gegenseitige scharfe Abgrenzung wir uns so vergeblich bemühen, nach den allgemeinen Vorgaben der Gattung Kleinepik – z. B. konzentrierte Explikation des Plots – wohl eher von selbst.

Die kleinen Erzählformen sind zu einem Gutteil die literarischen Gegenspieler des höfischen Romans[52], den sie parodieren: nicht nur als kontrastierende Formen, sondern auch in den Konfigurationen, Gesten, Stillagen u. a. Deshalb haben sie, für die wir mit einer breiten mündlichen Erzähl-

50 Schröter (1985) S. 141; vgl. auch S. 252.
51 Vgl. Ragotzky (1981).
52 Vgl. Anm. 39: Haug (1983) S. 170 f.

tradition rechnen dürfen, seit der Krise des höfischen Romans literarische (schriftliche) Konjunktur. Nicht zufällig also griff der Stricker die kleinen Formen auf, um in ihnen eine ausgedehnte Hofkritik zu pflegen, mit der er im übrigen unter seinen Zeitgenossen nicht allein stand.[53]

Für den Stricker kann es allenfalls prozessuale Gattungs-(Textsorten-)definitionen geben, die die jeweils dominierenden systemprägenden Aussageweisen thematisieren, z. B. Erzählen, Erklären, Reflektieren oder Tadeln. Dies hat stets dieselbe Funktion: der Wahrheit auf die Spur zu kommen bzw. die Hörerinnen und Hörer zur Erkenntnis der Wahrheit und Weisheit zu befähigen. *wîsheit* oder *gevüegiu kündikeit* ist »die Voraussetzung ordogemäßen Handelns, ist ordobezogenes Interpretationsvermögen«.[54]

Mit Begriffen wie »Systemstabilisierung«, »ordogemäß« oder »konservativ« wäre nur wenig gewonnen, wäre die Ideologie der Stricker-Texte nur schwach, nur partiell richtig umschrieben. Der Dichter stabilisierte nicht, sondern holte ein Ideal ein. Er unterlief das zeitgenössische Gesellschaftssystem mit einem ethisch-christlichen Ideal, welches das gute Handeln verlangte. Seine Texte tragen Züge der Urbanität, verbunden mit antifeudalen, antibäurischen bzw. -ländlichen Affekten, dies sowohl hinsichtlich der den Bettelorden nahestehenden Theologie, als auch der überständischen Verhaltenslehre, die den ständisch situierten Vertreter jeweils zum Typ eines allgemein menschlichen Verhaltens erhebt: solches namentlich auf dem Gebiet der *gevüegen kündikeit*, des angemessenen, vernünftigen Handelns. Damit erhält die Intelligenz in der volkssprachlichen Literatur deutlich einen eigenständigen und hohen Rang. Mit sei-

---

53 Vgl. z. B. den *Frauendienst* Ulrichs von Liechtenstein; dazu: Klaus Grubmüller, »Minne und Geschichtserfahrung. Zum *Frauendienst* Ulrichs von Liechtenstein«, in: Christoph Gerhard [u. a.] (Hrsg.), *Geschichtsbewußtsein in der deutschen Literatur des Mittelalters*, Tübinger Colloquium 1983, Tübingen 1985, S. 37–51.

54 Ragotzky (1981) S. 171.

nem Lob von Klugheit und Vernunft bricht der Stricker dem humanistischen Weg Bahn, der ja auch ein städtischer Weg war.[55]

Dieser Weg in die Moderne ist, wie in gleicher Weise aus der Verpflichtung gegenüber dem Ordodenken hervorgeht, keineswegs schon modern, sondern noch ganz in die schon urbane, theologische Spekulation der Zeit eingebettet – ohne daß damit deren genaue Kenntnis durch den Fahrenden unterstellt wird: Die Ethik des Thomas von Aquin z. B. feiert die Klugheit (*prudentia*) als eine für das menschliche Leben/Handeln besonders wichtige Tugend, als praktische Vernunft (d. h. rechte Vernunft beim Handeln) und befaßt sich eingehend mit der vom Verstand getragenen Weisheit als einer Gabe des Heiligen Geistes – ihr stehen Torheit (*stultitia*) und Tölpelhaftigkeit (*fatuitas*) gegenüber. Sie reflektiert ebenso das Vermögen des Verstandes / der Vernunft (*intellectus, ratio*) – als Teile der Klugheit – bzw. des rechten (d. h. vernunft-/verstandesgeleiteten) Willens als der Bedingung der Tugenden und der Glückseligkeit (*beatitudo*), die ihrerseits der Endzweck (*finis ultimus*) des Menschen ist.[56] Der gute Wille ist auf Gott gerichtet und der Hochmut der Ursprung aller Sünde – auch dies wäre ganz thomistisch gedacht,[57] und so schiene es auch erwägenswert, des Strikkers *gevüegiu kündikeit* als eine in der Vernunft gegründete

55 Vgl. Xenja von Ertzdorff, *Romane und Novellen des 15. und 16. Jahrhunderts in Deutschland*, Darmstadt 1989, S. 7.

56 Vgl. Die Deutsche Thomas-Ausgabe, vollständige, ungekürzte deutschlateinische Ausgabe der *Summa Theologica*, hrsg. von der Albertus-Magnus-Akademie Walberberg bei Köln, Heidelberg/Graz/Wien/Köln 1934 ff. Die *Summa* ist erst in den 60er und 70er Jahren des 13. Jh.s entstanden – schon deshalb setze ich hier nur weniges aus ihr mit den Texten des Stricker in Beziehung und auch dies im Sinne eines Allgemeingutes innerhalb des zeitgenössischen theologisch-philosophischen Diskurses. Es kommt mir nicht auf den Nachweis thomistischer Gedanken an, sondern darauf, gegen eine einseitige soziologische Analyse und gegen eine unüberlegte Betonung der Modernität des Stricker den theologiegeschichtlichen Aspekt mit hervorzuheben.

57 Vgl. ebd., Bd. 9 (Quaestio 19/9) und Bd. 12 (Quaestio 84).

Klugheit zu begreifen und mit dem *intellectus practicus* bzw. der *ratio recta* des Thomas zu vergleichen[58] – ohne sie freilich, was schon aus chronologischen Gründen problematisch wäre, mit ihnen identifizieren zu können.

Die Poesie des Stricker erscheint als ein Rettungsversuch in doppelter Hinsicht: Sie setzt gegen die ökonomischen Umwälzungen die alte Ständelehre und gegen die Umwälzungen auf intellektuellem Gebiet die Versöhnung des Glaubens mit der Vernunft.

---

58 Vgl. ebd., Bd. 17 B (Quaestio 47/2).

# Fabeln

Vor einem stadele, dâ man drasch,
dâ gie ein han durch genasch
und warp als er kunde.
dô er kratzen begunde,
5 dô vant er in kurzer stunt
einen wol getânen vunt,
einen schœnen mergriezen.
'möhte ich dîn iht geniezen',
sprach er wider sich selben dô,
10 'sô wære ich dîn harte vrô.
wære dir iemen zuo komen,
dem du möhtest gevromen,
dem wære wol mit dir geschehen.
nu hân ich kurzlîche gesehen,
15 daz ich enmac dîn
niht geniezen noch du mîn,
des bistu hie ze mir verlorn –
ich næme vür dich ein haberkorn.'
        der han gelîchet einem man,
20 der beidiu wil unde kan
tumplîche werben
und wænet doch niht verderben.
kumt er den mergriezen an,
er lât in ligen als der han.
25      was sint die mergriezen?
diu wort, der wir niezen
gegen got und nâch êren.
beginnet man in lêren,
wie er werben solde,
30 ob er sich lieben wolde
beidiu gote und den liuten,
sô mac man imz diuten,
ê er sich dar an iht kêre.

# 1

## Der Hahn und die Perle

Vor einer Scheune, in der gedroschen wurde, stolzierte ein Hahn, und bemühte sich nach Kräften, Futter zu finden. Als er scharrte, [5] machte er alsbald eine schöne Entdeckung, er fand nämlich eine herrliche Perle.

»Wenn ich etwas mit dir anfangen könnte«, sprach er zu sich selbst, [10] »so würde ich mich sehr über dich freuen. Hätte dich jemand gefunden, dem du nutzen könntest, der würde dich gut verwenden. Ich sehe aber deutlich, [15] daß wir beide nichts miteinander anfangen können, du bist umsonst bei mir – statt deiner hätte ich lieber ein Haferkorn.«

Der Hahn gleicht jemandem, [20] der sich töricht verhält und doch glaubt, dabei nicht zugrunde zu gehen. Stößt der auf eine Perle, so läßt er sie wie der Hahn liegen.

[25] Was bedeuten die Perlen? Es sind die Worte, die wir an Gott richten und mit denen wir nach Ehre streben. Belehrt man jenen Menschen, was er tun sollte, [30] um Gott und den Menschen zu gefallen, so muß man es ihm erst erklären, bevor er sich

des effet er sich sêre,
35  der den wîsheit lêret,
der sich an die rede niht kêret.
　　swer niht wîsheit wil pflegen,
vünde er si ligen an den wegen,
er möhte ir niht mêr geniezen
40  denne ouch der han des mergriezen.


## 2

Ein rabe quam an ein gras,
dô vant er, daz im liep was,
pfâwenvederen ein vil michel teil,
des wart er vrô unde geil.
5  die stiez er alle an sich,
dô wart er harte wünneclich
und gie, dâ er sîne genôzen vant.
zuo den sprach er zehant:
'nu sehet, wie rehte schœne ich bin!
10  ez wære ein michel unsin,
daz ich mit iu solde sîn,
dar umbe spottete man mîn.'
　　alsus wart im dannen gâch,
und quam vil schiere dar nâch,
15  dâ in die pfâwen sâhen;
die begunden dar gâhen.
swelhiu ir vederen dâ gesach,
diu gie dar unde sprach:
'disiu veder, diu ist entriuwen mîn,
20  sine sol niht langer bî dir sîn.
weizgot, du læzest si mir!'
alsô zucte iesliche die ir,
unz er wart swarz alsam ê.
dô wart im zweier dinge wê:

danach richtet. Wer jemanden lehrt, weise zu han-
deln, der sich dann nicht daran hält, der macht sich
zum Narren.
[37] Wer die Perle am Wege finden würde und nicht
weise sein möchte, der könnte mit ihr nicht mehr
anfangen [40] als der Hahn.

## 2
## Der Rabe mit den Pfauenfedern

Ein Rabe ließ sich aufs Gras nieder und fand etwas,
das ihm gefiel, nämlich viele Pfauenfedern; darüber
war er froh und lustig. [5] Er steckte sie alle an sich –
prächtig sah er aus! – und ging zu seinen Ge-
fährten.
Er sprach zu ihnen: »Seht doch, wie wunderschön
ich bin! [10] Ich wäre verrückt, wenn ich mit euch
zusammen leben würde, man würde mich ver-
spotten.«
Er eilte hinweg und kam bald darauf [15] zu den
Pfauendamen. Als sie ihn sahen, eilten sie herbei,
und welche ihre Federn erblickte, die ging hin und
sagte: »Diese Feder gehört doch mir, [20] sie soll
nicht länger an dir sein. Bei Gott, gib sie her!«
So riß jede die ihrige heraus, bis er schwarz war wie
vorher.
Zweierlei quälte ihn nun: [25] daß man ihm die

25  daz im die vederen wâren genomen,
    und ouch niht torste bekomen
    zuo andern sînen genôzen –
    er vorhte spot grôzen.
    den wolde er niht lîden
30  und begunde si durch daz mîden
    und meit si ein vil lange zît.
    iedoch erbaldete er sît
    unde gie baltlîche dar.
    dâ si wurden sîn gewar,
35  si sprâchen alle: 'kumest du?
    wâ sint dîne schœne vederen nu?'
    des vrâgten si in alle
    und brâhten in sô ze schalle,
    daz im lieber wære geschehen,
40  hæte er die vederen nie gesehen.
       alsus tuot ein betrogen man:
    und kumt in ein gewalt an,
    sô vert er mit schalle
    und versmæhet die alle,
45  den er ê was gelîch,
    und machet sîn dinc sô hêrlîch,
    daz er selbe wænen wil,
    daz niemen tugende habe sô vil,
    als er habe an sich geleit;
50  und machet mit sîner betrogenheit,
    swenne im der gewalt wirt benomen
    und er ûz dem schalle muoz komen:
    die in ê vil gerne sâhen,
    sæhen si in danne hâhen,
55  dar umbe lobeten si alle got.
    sô muoz er immer ir spot
    lîden unz an sînen tôt.
    daz erholt er âne nôt.
    des ist er tump, der sich sô traget,
60  daz niemen sînen schaden klaget.

Federn genommen hatte und daß er nicht wagen
konnte, zu seinen übrigen Gefährten zu gehen – er
fürchtete großen Spott. Den wollte er nicht ertragen,
[30] er mied sie deshalb, und zwar sehr, sehr lange.
Jedoch, er faßte wieder Mut und ging kühn zu ihnen
hin. Als sie ihn sahen, [35] sprachen sie alle: »Du
kommst hierher? Wo sind denn nun deine schönen
Federn?« Alle fragten sie ihn und brachten ihn so ins
Gerede, daß er die Federn lieber nie gesehen hätte.
[41] Genauso verhält sich ein eingebildeter Mensch:
wird er mächtig, dann lebt er laut und fröhlich und
verachtet all jene, [45] mit denen er früher auf gleicher
Stufe stand. Er setzt sich so in Szene, daß er schließ-
lich selbst glaubt, keiner habe so viele Vorzüge wie
er. [50] Wenn ihm dann seine Macht genommen wird
und es still um ihn geworden ist, so ist dies die Folge
seiner Selbsttäuschung, und die, die ihn zuvor gerne
gesehen hatten, sähen ihn jetzt lieber am Galgen
baumeln [55] und würden Gott dafür noch loben.
So wird er ihren Spott bis zu seinem Tode ertragen
müssen. Dies hat er ohne Not auf sich genommen!
Wer sich so verhält, ist töricht, [60] und niemand
wird über seinen Schaden klagen.

Swes herze noch ie besezzen wart
mit wunderlicher hôchvart,
daz ist rehte allez ein wint:
ein kater, einer katzen kint,
5  der überhœhetes alle,
die sint Adames valle
mit hôchvart wurden bekant.
der gie, dâ er ein vohen vant,
der sprach er kündiclîche zuo:
10  'nu râtâ, vrouwe, waz ich tuo!
ich weiz wol, daz du wîse bist
und kanst vil manigen guoten list.
dar umbe suoche ich dînen rât.
ich sage dir, wie mîn dinc stât:
15  ich hân mê tugende eine
denne allez daz gemeine,
dâ von du ie gehôrtest sagen.
ichn dörfte nimmer gedagen,
solde ich dich wizzen lân,
20  wie vil ich hôher tugende hân.
ezn vünde niemens sin
sô edeles niht, als ich bin.
swie gerne ich nu næme
ein wîp, diu mir wol zæme –
25  die mac mir niemen vinden,
doch wil ich nimmer erwinden.
dir sint vil grôze witze bî:
waz nu daz edeleste sî,
daz du iender kanst erkennen,
30  daz solt du mir nennen,
des tohter wil ich nemen ê,
ê danne ich gar âne wîp bestê.'

## 3

## Der Kater als Freier

Mag jemals eines Menschen Herz mit grenzenloser Hoffart erfüllt gewesen sein – alles ist nichts gegenüber einem Kater, dem Sohn einer Katze; [5] er übertraf alle, deren Hoffart seit Adams Fall bekannt wurde.

Er ging zu einer Füchsin, zu der er anmaßend sprach: [10] »Rate mir, Frau, was ich tun soll! Ich weiß, du bist weise und verstehst dich auf viele gute Künste. Deshalb suche ich deinen Rat. Ich sage dir, wie es um mich steht: [15] ich alleine habe mehr Vorzüge als alles, von dem du jemals gehört hast. Ich käme nie zum Schweigen, wollte ich dir erzählen, [20] welche großen Qualitäten ich habe. Niemand könnte etwas so Edles wie mich ersinnen. Wie gerne würde ich nun eine Frau nehmen, die zu mir passen würde – [25] die kann niemand für mich finden, doch will ich nicht aufgeben. Du hast großen Verstand: nenne mir das Edelste, das du kennst, [31] lieber will ich dessen Tochter nehmen als ganz ohne Frau bleiben.«

diu vohe kündiclîche sprach:
'swaz ich edeles ie gesach,
35  den gêt diu sunne allen vor.
si sweimet sô wünneclîche enbor
und ist schœne und alsô heiz,
daz ich sô edeles niht enweiz.'
er sprach: 'der tohter muoz ich hân!
40  si ist hôhe unde wol getân
und hât sô wünneclichen schîn,
si mac wol vil edele sîn.
nu sage mir von der sunne mê,
ist iht dinges, daz ir widerstê?
45  daz soltu nennen iesâ!'
diu vohe sprach: 'entriuwen, jâ!
ir widerstêt der nebel wol,
der ist *sô* grôzer krefte vol,
daz diu sunne niht geschînen kan,
50  swâ ir der nebel niht engan.'
der kater sprach: 'ist daz alsô,
sô bin ich des nebels tohter vrô.
sît er sô grôze kraft hât,
daz er der sunne widerstât,
55  sô gevellet mir sîn tohter baz.
nu sage, ist aber iender daz,
daz dem nebel ane gesige,
vor dem er sigelôs gelige?'
'jâ', sprach diu vohe zehant,
60  'dir ist der wint wol bekant,
der ist des nebels meister wol.
wære des nebels ein lant vol,
swenne sich der wint rüeret,
er verjaget und zefüeret
65  den nebel in vil kurzer vrist,
daz niemen weiz, wâ er ist.'
der kater sprach: 'daz ist guot!
sô wil ich wenden mînen muot

Listig sprach die Füchsin: »Über allem Edlen, das ich jemals sah, [35] steht die Sonne. Sie schwebt so wundervoll in die Höhe, sie ist herrlich und voller Hitze – etwas so Edles kenne ich sonst nicht.«

Der Kater sprach: »Deren Tochter muß ich haben! [40] Sie ist hoch und schön, und sie strahlt so wundervoll, gewiß ist sie sehr edel. Erzähle mir doch etwas mehr von der Sonne: Gibt es etwas, das ihr widerstehen kann? [45] Du mußt es mir unverzüglich nennen!«

Die Füchsin antwortete: »In der Tat, ja! Der Nebel widersteht ihr, der besitzt so große Kräfte, daß die Sonne nicht zu scheinen vermag, [50] wenn es der Nebel nicht erlaubt.«

Da erwiderte der Kater: »Ist das so, dann freue ich mich über die Tochter des Nebels. Wenn dieser so große Kraft besitzt, der Sonne zu widerstehen, [55] dann gefällt mir *seine* Tochter besser. Doch sag, gibt es etwas, das den Nebel besiegen kann, vor dem dieser kapitulieren muß?«

»Ja«, antwortete die Füchsin, [60] »du kennst doch den Wind, der ist unbestritten der Herr des Nebels. Wäre ein Land auch voller Nebel, der aufkommende Wind verjagte und zerstreute ihn, [65] in kürzester Zeit, so daß niemand mehr weiß, wo er sich aufhält.«

Der Kater sprach: »Das ist gut! Deshalb werde ich jetzt meine Absichten auf die Tochter des Windes

an des windes tohter umbe daz.
70 wie ode wâ gevüere ich baz,
sît im diu êre ist beschert,
daz er sô gewalticlîche vert!
des wil ich sîner tohter zuo,
ê daz ich iender wirs getuo.
75 ist iht dinges in der krefte,
daz des windes meisterschefte
mit sîner kraft widerstê,
daz solt du mir sagen ê,
als liep ich dir ze vriunde sî.'
80 'jâ', sprach diu vohe, 'ich weiz hie bî
ein grôz, alt, œde steinhûs,
dâ hât der wint vil manigen sûs
und manigen stôz ane getân
und muose doch ez lâzen stân.
85 swie vil er dâ gestürmet hât,
ez hât die kraft, daz ez noch stât.'
der kater sprach: 'sam mir mîn lîp!
sô wil ich dehein ander wîp
wan des steinhûses kint,
90 sît der kreftige wint
daz stürmet naht unde tac
und doch niht dâ gesigen mac.
des hûses tohter wil ich nemen,
diu muoz mir aller beste gezemen.
95 hât aber iht dinges die kraft,
dâ von daz hûs schadehaft
immer mêre werde?
ist des iht ûf der erde,
dâ sage mir von etewaz!'
100 'jâ', sprach diu vohe, 'ich weiz noch daz,
daz dem steinhûse ane gesiget,
daz ez dâ nider geliget:
ob der erde und dar under
ist miuse ein michel wunder,

richten. [70] Was könnte ich denn Beßres tun, da er
die Ehre hat, so gewaltig zu sein! Darum verlange ich
nach seiner Tochter, bevor ich etwas Niedriges an-
packe. [75] Gibt es aber etwas, das so stark ist, mit
seiner Kraft der Herrschaft des Windes zu widerste-
hen, dann mußt du mir dies zuvor bei unsrer Freund-
schaft sagen.«

[80] »Ja«, erwiderte die Füchsin, »ich kenne hier in
der Nähe ein großes, altes, verlassenes Steinhaus,
dagegen hat der Wind mit vielen Stürmen und Böen
geblasen, und er mußte es doch stehen lassen. [85]
Wie sehr er auch getobt hat, es ist so stark, daß es
noch steht.«

Der Kater antwortete: »Bei meinen Leben! So will
ich keine andere Frau als die Tochter des Steinhauses,
[90] wenn es der kraftvolle Wind Tag und Nacht
bestürmt und doch den Sieg nicht davontragen kann.
Die Tochter dieses Hauses möchte ich nehmen, die
wird am besten zu mir passen. [95] Hat aber irgend
etwas die Kraft, das Haus zu zerstören? Wenn es so
etwas auf der Welt gibt, dann berichte mir davon!«

[100] »Ja«, entgegnete die Füchsin, »ich weiß, was das
Steinhaus besiegen kann, so daß es zerfällt: über und
unter der Erde gibt es zahllose Mäuse, [105] die die

105 die hânt die mûre sô durchvarn,
daz si des niemen kan bewarn,
man müeze si schiere vallen sehen –
daz muoz von den miusen geschehen!'
der kater sprach: 'ich bin geil
110 und hân ouch sælde unde heil,
daz ich die rede vernomen hân:
sô wil ich elliu wîp lân
und wil der miuse tohter nemen.
daz lâ mich ê vernemen,
115 ob si âne sorgen leben,
ist in iht meisters gegeben?'
'jâ', sprach diu vohe sâ zestunt,
'dir ist diu katze wol kunt,
diu ist der miuse meister gar.
120 swâ si ir werdent gewar,
dô vliehent si durch grôze nôt.
swaz si ir gevâhet, die sint tôt –
diu mac sich dir gelîchen wol,
diu ist als rîcher tugende vol
125 und ist als edele als du bist.
swaz an dir ze lobene ist,
daz ist ouch vollicliche an ir.
du hâst dich des gerüemet mir,
ezn vinde niemens list
130 sô edeles niht, sô du bist.
nu merke rehte dîne kraft!
diu katze ist als tugenthaft
an muote und an lîbe,
diu zimet dir wol ze wîbe:
135 dun maht ouch niht hôher komen,
ich hân daz vür wâr vernomen.
du hâst dich selben geaffet,
daz du sô vil hâst geklaffet,
und hâst *mit* worten getobet,
140 daz du dich hôher hâst gelobet,

Mauern so unterwühlt haben, daß man sie unweigerlich bald fallen sehen wird – das werden die Mäuse vollbringen!«

Der Kater sprach: »Ich bin froh, diese Rede gehört zu haben; Glück und Segen sind bei mir: [112] alle anderen Frauen will ich lassen und die Tochter der Mäuse nehmen. Zuvor laß mich aber wissen, [115] ob diese sorglos leben und kein Herr über sie gesetzt ist?«

»Ja«, antwortete die Füchsin darauf, »du kennst doch die Katze, die ist Herr über die Mäuse. [120] Wenn diese sie sehen, dann fliehen sie wegen der großen Gefahr. Welche sie auch fängt, sie müssen sterben – sie ist genauso wie du, sie besitzt dieselben großen Qualitäten [125] und ist so edel wie du. Was man an dir loben muß, gilt auch für sie. Du hast dich vor mir gebrüstet, niemand könne sich [130] etwas so Edles erdenken wie dich. Jetzt erkenne, wie du wirklich bist! Denselben Geist und denselben Körper wie du hat die Katze, sie ist die passende Frau für dich: [135] du kannst nun einmal nicht höher hinaus, dies weiß ich ganz sicher. Du hast dich selbst zum Narren gemacht, daß du so viel geschwatzt und unsinniges Zeug dahergeredet hast, [140] und dich über alles in

denne iht in der werlde sî.
nu bin ich tiurer denne dîn drî
und weiz der tiere dannoch vil,
den ich mich niht gelîchen wil,
145  die verre tiurer sint denne ich.
kanstu niht erkennen dich,
sô sich et eine katzen an:
du kanst niht anders, denne si kan;
swaz si ist, daz bist ouch du –
150  dâ von tuo dînen munt zu!
du suochest einen tôren:
vâch dich selben bî den ôren,
sô hâstu in vunden iesâ,
er ist vil vollicliche dâ!'
155      dô kêrte der kater wider
und lie sîn hôchgemüete nider,
dô er bevant, wer er was,
und was vil vrô, daz er genas.
alsam geschiht dem tumben man,
160  der daz niht bedenken kan,
wer er ist und wâ er sol –
dem ergêt ez selten wol.
swenne er sich sô vergâhet,
daz er diu dinc versmâhet,
165  diu im ze mâze wæren
und sælde und êre bæren,
und sô tumbe sælde suochet,
daz er der dinge ruochet,
der er niht muoten solde,
170  ob er sich erkennen wolde –
der hât sich selben übersehen,
dem sol ze rehte geschehen
als dem katern geschach,
der im ze hôher wirde jach:
175  daz wart im misseprîset,
und wart des underwîset,

der Welt gestellt hast. Ich bin dreimal mehr wert als du, und doch kenne ich viele Geschöpfe, mit denen ich mich nicht vergleichen würde, [145] weil sie weitaus wertvoller sind als ich. Wenn dir die Selbsterkenntnis fehlt, dann sieh doch eine Katze an: du kannst nichts anderes als sie; was sie ist, bist du auch – [150] deshalb halte deinen Mund! Suchst du einen Narren, so fasse dich an deinen eigenen Ohren, dann hast du ihn gleich gefunden, und zwar in voller Größe!«

[155] Da ging der Kater weg, und da er erkannt hatte, wer er eigentlich war, gab er seine Hoffart auf und freute sich sehr, daß er noch einmal davongekommen war.

So geht es dem Dummkopf, [160] der nicht erkennen kann, wer er ist und wohin er gehört – mit dem wird es nicht gut enden. Wer so hoch hinaus will, daß er verachtet, [165] was zu ihm passen und ihm Glück und Ehre bringen würde, und wer ein solch eitles Glück sucht, daß er sich um etwas bemüht, das er nicht begehrte, [170] wenn er seine Grenzen kennen würde – der überschätzt sich selbst, dem wird es genauso ergehen wie dem Kater, der seinen Wert zu hoch ansetzte: [175] ihm wurde dies übel genommen, und er wurde belehrt, daß er wie die Katze war – dies

daz er der katzen was gelîch –
dô erkande er und schamte sich.
alsô muoz sich ein man schamen,
180 dem man sîn reht und sînen namen
mit schanden zeiget unde saget,
sô er ze hôchverte jaget.
    swie lange sich ein kater wert,
ist im niht ein katze beschert,
185 sô mac er michel wirs gevarn:
ieclich man sol sîn reht bewarn.


### 4

Daz ist ieslicher katzen muot:
sæhe si vor ir unbehuot
hundert tûsent ezzen stên,
si wolde zuo in allen gên.
5 daz si niht gezzen möhte
und ir ze nihte entöhte,
daz machete si doch unreine,
daz si würden elliu gemeine
den liuten ungenæme
10 und ze ezzen widerzæme.
    alsam tuot ein unreiner man,
der nimmer sô vil wîbe enkan
gewinnen, als sîn herze gert.
er versuochet wert und unwert:
15 die er niht minne mac gewern,
die wil er dannoch niht verbern –
er benaschet bœse unde guot.
diu sînes willen niht entuot,
der wil er doch warte machen
20 und wil si dâ mit swachen,
daz si im ze jungest werde reht.

führte ihn zur Selbsterkenntnis, und er schämte sich.
In derselben Weise muß sich jemand schämen, [180]
den man, wenn er sich zu hoffärtig aufgeführt hat, zu
seiner Schande deutlich auf seinen Stand und seinen
Rang hinweist.
Ein Kater mag sich noch so lange dagegen sträuben:
bekommt er keine Katze, [185] so wird es ihm sehr
schlecht ergehen: jedermann soll in seinem Stand
bleiben.

## 4
## Die Katze

Dies ist die Veranlagung jeder Katze: sieht sie hun-
derttausend Essen unbewacht vor sich stehen, würde
sie gerne zu allen hinrennen. [5] Was sie nicht essen
könnte und nichts für sie wäre, das würde sie doch
verunreinigen, so daß alles für die Leute abstoßend
und [10] ungenießbar wäre.
In derselben Weise verhält sich ein unkeuscher
Mann, der nicht so viele Frauen bekommen kann,
wie sein Herz begehrt. Er probiert es bei allen Sor-
ten: [15] auf die, die seine Liebe nicht wollen, will er
dennoch nicht verzichten – er nascht an schlechten
und guten. Ist eine ihm nicht willfährig, so wird er
ihr doch seine Aufwartung machen, [20] um ihren
Widerstand zu brechen, damit sie ihm schließlich

er minnet krumbe unde sleht
und hât vil gar der katzen site.
bejaget er katzenlop dâ mite,
25  daz dunket mich vil billîche:
er tuot der katzen vil gelîche.
ir beider werc bewærent wol,
daz man ir lop gelîchen sol.

## 5

Ez was hie vor ein rîcher wirt:
swaz den gesten vröude birt,
des bôt er allez genuoc;
er schuof, swâ man sîn gewuoc,
5  daz er vil wol gelobet wart.
er het ouch einen hovewart,
der kunde wol überspringen:
des endorfte in niemen twingen,
dâ mit erwarp er sîn brôt.
10  swer im den arm dar bôt,
dar über spranc er sâ zehant –
des wart der hunt wol bekant.
    eines tages quam der geste vil,
dô muose er üeben sîn spil.
15  er spranc unz an die stunde,
daz er müeden begunde.
dône wolde er niht mêre springen,
dô begunde man in twingen.
dô in des einer betwanc,
20  daz er in überspranc,
sô twanc in ouch ein ander.
der meisterschefte vant er
sô vil, unz er verzagete
und in vil gar versagete

gefügig ist. Er fädelt seine Beziehung zielstrebig oder auf Umwegen ein und verhält sich dabei genauso wie die Katze. Erntet er dadurch Katzenlob, so scheint mir das nur gerecht: er verhält sich ja auch wie eine Katze. Ihr beider Tun beweist, daß man ihren Ruf vergleichen kann.

## 5
## Der Hofhund

Einst lebte ein mächtiger Herr, der bot den Gästen alles in Fülle, was ihnen Freude machte. Er hatte erreicht, daß er in den höchsten Tönen gelobt wurde, wo man über ihn sprach. [6] Er besaß einen Hovawart, der hohe Sprünge vollführen konnte: niemand brauchte ihn dazu zu zwingen, er verdiente damit sein Futter. [10] Hielt jemand ihm den Arm hin, dann sprang er sofort darüber – so wurde der Hund weithin berühmt.

Eines Tages trafen viele Gäste ein, da mußte er seine Kunst vorführen. [15] Er sprang so lange, bis er müde wurde. Als er nun nicht mehr springen wollte, begann man ihn zu zwingen. Als ihn einer gezwungen hatte, [20] seinen Arm zu überspringen, da zwang ihn auch ein zweiter. Dies geschah so oft, daß er schließlich aufgab, ihnen alles abschlug [25] und für nieman-

25  und durch niemen springen wolde,
     swelch nôt er dar umbe dolde.
       rehte alsô tuot ein milter man:
     swie milte er immer werden kan,
     wil man sîn ze harte vâren,
30  in muoz diu milte swâren.
     in bringet einer dâ zuo,
     der in beide spâte und vruo
     ze gîticlîche neisen wil,
     daz in muoz dunken ze vil
35  der gâbe und ienes gîtecheit,
     und im ze jungest gar verseit.
     swie gerne er milte wære,
     in machent die gîtegære
     an guotem willen sô schart,
40  daz er tuot sam der hovewart,
     den man ze springene twanc
     sô lange, unz er durch niemen spranc.

## 6

     Ez was hie vor ein arm man,
     der sô lützel guotes gewan,
     daz er vil selten sat wart.
     dô het er einen hovewart,
5  dem enweste er, waz geben,
     noch enweste, wes er selbe möhte leben.
     dâ von sô wart der hunt sô swach,
     daz man in kûme leben sach.
       nu was ein burc dâ nâhen bî.
10  'ich wil sehen, ob dâ iemen sî',
     gedâhte er, 'der sich ruoche erbarmen
     über mich tôtarmen.'
     diu burc het einen rîchen wirt,

den mehr springen wollte, wie man ihn deshalb auch
quälte.
In derselben Weise verhält sich ein freigebiger
Mensch: er mag noch so freigebig sein, seine Freige-
bigkeit wird ihn verdrießen, wenn man sich ihm zu
sehr aufdrängt. [31] Wer ihn von früh bis spät aus
Habgier bedrängt, bringt ihn dazu, seine Gabe und
jenes Habgier für zu groß zu halten [36] und ihm
schließlich alles abzuschlagen. Wenn er auch gerne
freigebig wäre, so verhärten die Habgierigen doch
seinen guten Willen so sehr, [40] daß er sich am Ende
so verhält wie der Hovawart, den man so lange zu
springen zwang, bis er für niemanden mehr sprang.

# 6
# Der Hofhund und die Jagdhunde

Einst lebte ein armer Mann, der besaß so wenig, daß
er niemals satt wurde. Er hatte einen Hovawart, [5]
dem er nichts zu geben wußte, noch wußte er selbst,
wovon er leben könnte. Dadurch war der Hund so
geschwächt, daß er kaum noch am Leben blieb.
Nun stand in der Nähe eine Burg. [10] »Ich will
sehen«, dachte er, »ob es dort jemanden gibt, der sich
über mich Elenden erbarmen möchte.«
Die Burg hatte einen mächtigen Herrn, der besaß
alles, was die Menschen erfreut.

swaz den liuten vröude birt,
15  des volgete im ein michel teil.
     nu gehalf dem hunde sîn heil,
daz er vür des wirtes tisch quam
und sîn dâ niemen war nam,
wan des wirtes hessehunde.
20  swelcher in an begunde
loufen, als er solde,
und in ûzbîzen wolde,
vor dem leit er sich dar nider
und tet niht anders dar wider,
25  wan daz er den zagel ruorte,
unz er den zorn zevuorte.
dô er sich alsô kunde ergeben,
dâ von liezen si in leben.
doch begunde er in entwîchen
30  unde al umbe slîchen
under den benken, dâ ez vinster was –
dâ bejagete er, daz er wol genas.
     dô der arme hovewart
ein wênic kreftiger wart,
35  dô begunde er vür die tische gên,
under die hessehunde stên.
als er ein bein dâ gevienc,
swelch hessehunt dar gienc,
dem liez erz nider vallen.
40  sus geschuof er mit in allen,
daz si in bî in verdolden.
des si dâ niht wolden,
daz dûhte aber in ein wirtschaft.
nu gewan er schiere solche kraft:
45  waz im in den munt quam,
daz im deheiner daz ennam –
daz quam dâ von: er werte sich.
er dûhte sich sô heimlich,
daz er sich satzte wider sie

[16] Dem Hund verhalf sein Glück dazu, daß er zum Tisch dieses Herrn gelangte und ihn niemand bemerkte außer dessen Hetzhunden. [20] Wenn ihn von denen einer, wozu er ja da war, anrannte und mit Bissen hinausjagen wollte, dann kuschte er sich nieder und unternahm nichts dagegen, [25] außer daß er, bis er dessen Zorn besänftigt hatte, mit dem Schwanz wedelte. Weil er sich auf solche Weise ergab, ließen sie ihn am Leben. Doch er entwich ihnen [30] und schlich unter den Bänken umher, wo es dunkel war – dort ging er auf Jagd, bis er gesund wurde.

Als der arme Hovawart wieder zu Kräften gekommen war, [35] begab er sich vor die Tische und stellte sich unter die Hetzhunde. Wenn er einen Knochen aufschnappte, ließ er ihn vor dem Hetzhund niederfallen, der gerade vorbeiging. [40] So erreichte er, daß sie ihn alle bei sich duldeten. Was sie verschmähten, nahm er für einen Leckerbissen.

Nun wurde er rasch so kräftig, daß ihm keiner mehr das wegnahm, was ihm ins Maul kam – [47] das kam so: er wehrte sich nämlich. Er fühlte sich so zu

50  und in des sînen niht enlie.
    die hunde muosen dicke jagen,
    daz si etewenne in siben tagen
    niht enquâmen wider hein.
    sô wurden im elliu diu bein
55  diu si alle solden ezzen.
    des wart er sô vermezzen,
    hæte in ein lewe bestân,
    er wolde ez im niht vertragen hân.
       sô die hunde danne quâmen wider,
60  sô warf er ir einen nider
    vor dem tische, und aber einen,
    und wolde si an den beinen
    deheinen gewalt lâzen hân.
    dô mohtens im niht widerstân,
65  si wâren von dem jagen sô kranc,
    daz er si sanfte betwanc.
    von sîner vrävellichen kraft
    muosen si sîne meisterschaft
    ze allen zîten lîden
70  und muosen in vermîden,
    als ob er ein leu wære.
       nu gelîchet disem mære:
    swâ ein gebûr ze hove gât,
    der dâ heime niene hât,
75  und gesmecket der süezen spîse,
    sô gebâret er in der wîse,
    als er mitalle ein schâf sî.
    unz er in gewonet bî,
    daz er ze hove wirt erkant,
80  sô muoz er sich iesâ zehant
    den edelen gelîchen
    und wil den niht entwîchen.
    sô beginnet er danne liegen,
    beidiu lôsen unde triegen.
85  sîn smeichen wirt sô mannicvalt,

Hause, daß er sich ihnen widersetzte [50] und ihnen
nichts von sich ließ.

Die Hunde mußten oft so lange zur Jagd gehen, daß
sie manchmal eine Woche lang nicht wieder nach
Hause kamen. Dann nahm er sich alle die Knochen,
[55] die jene hätten fressen sollen. Dadurch wurde er
so anmaßend, daß er es sich nicht einmal hätte gefal-
len lassen, daß ein Löwe gegen ihn gekämpft hätte.

Wenn die Hunde dann zurückkamen, [60] stieß er
einen vor dem Tisch um, dann noch einen, und er
wollte sie nicht an die Knochen heranlassen. Sie
konnten nichts gegen ihn tun, [65] denn sie waren von
der Jagd so schwach, daß er sie leicht bezwingen
konnte. Sie mußten wegen seiner gewaltigen Stärke
seine Überlegenheit stets ertragen. [70] Sie waren
gezwungen, ihn zu meiden, als ob er ein Löwe
gewesen wäre.

Diese Erzählung ist ein Gleichnis für Folgendes:
Wenn ein Bauer, der daheim nichts besitzt, zu Hofe
geht [75] und das süße Leben schmeckt, dann verhält
er sich so, als ob er nichts anderes sei als ein Schaf.
Wenn er lange genug unter den Adligen gelebt hat, so
daß man ihn bei Hofe kennt, [80] dann wird er sich
alsbald mit diesen gleichstellen und wird ihnen nicht
von der Seite weichen. Er fängt an zu lügen, zu
heucheln und zu betrügen. [85] So vielfältig wird sein
Schmeicheln sein, daß man ihm schließlich ein Amt

daz man im bevilhet einen gewalt.
des wirt er danne sô hêre,
daz er die edelen immer mêre
dar nâch verdrücket, swâ er mac.
90   under der vüezen er zem êrsten lac,
der meister wil er danne wesen
und wil die kûme lân genesen.
dar an tuot er rehte
alsô wil daz ungeslehte.
95     daz ungeslehte ist alsô gemuot:
wirt im gewalt ode guot,
daz ez niemen behalten wil.
der selben vinde ich nu sô vil,
daz ir der tîvel müeze pflegen –
100  ich entuon in anders dehein segen.


### 7

Ze einen zîten daz geschach,
daz ein wolf einen biber sach
eines tages in dem wâge;
dem sazte er manige lâge.
5   unz er ze jungest ûz gie,
der wolf in iesâ gevie.
dô sprach der biber: 'neve mîn,
was sol disiu rede sîn?'
der wolf sprach mit zorne:
10  'dâ bistu der verlorne!
ich wil dich ezzen, weizgot!'
der biber sprach: 'iz ist dîn spot!'
er sprach: 'des wirstu wol gewar!'
dô wart der biber riuwevar,
15  er sprach: 'herre neve, daz verbir
und ginc danne mit mir:

anvertraut. Dadurch wird er dermaßen überheblich, daß er den Adel mehr und mehr unterdrückt, wo er nur kann. [90] Er will dann die beherrschen – und wird sie kaum noch am Leben lassen –, unter deren Füßen er am Anfang gelegen hatte. Er verhält sich genauso wie einer aus niedriger Herkunft.

[95] Die, die niederer Herkunft sind, denken wie folgt: erreichen sie eine herrschaftliche Position oder Besitz, dann werden sie niemanden mehr bewirten. Von denen finde ich heutzutage so viele; der Teufel soll sie holen – [100] einen anderen Segen habe ich nicht für sie.

## 7

## Der Wolf und der Biber

Einst erblickte ein Wolf einen Biber im Wasser; dem lauerte er auf vielfältige Weise auf. [5] Als er schließlich einmal aus seinem Bau kam, schnappte ihn der Wolf.

Da sprach der Biber: »Lieber Vetter, was ist denn los?«

Wütend antwortete der Wolf: [10] »Du bist verloren! Weiß Gott, ich will dich fressen!«

Der Biber erwiderte: »Du machst Witze!«

Der Wolf darauf: »Du wirst schon sehen!«

Da wurde der Biber blaß [15] und sprach: »Herr Vetter, laß das bleiben und geh mit mir fort; ich

ich wil dir einen dahs geben,
soltu tûsent jâr leben,
du muost mirs iemer danc sagen.
20 dun darft in vierzehen tagen
nimmer komen von einer stat,
wan du bist ze allen zîten sat.
der ist dir nützer denne ich.
deiswâr, wil du mich
25 mit rehten triuwen meinen,
ich gibe dir aber einen –
als dicke sô du wilt,
daz ouch du mîn vrideschilt
vor dînen genôzen wellest wesen,
30 daz si mich lâzen genesen.'
der wolf sprach: 'des hilfe ich dir.
nu sage an, wie mac mir
der selbe dahs werden?'
'er lît hie in der erden
35 bî disem wâge in einem hol,
dâ gewinne ich dirn wol.
lâ mich dich überschrîten
und lâ dich dar rîten,
sô heize ich in her ûz treten,
40 des hân ich in lîhte erbeten.
ich beginne wider in jehen:
"ir sult mir ditz ros gesehen."
sô er uns danne beginnet nâhen,
sô solt ouch du in vâhen.'
45 der wolf sprach: 'daz tuon ich,
nu sitz ûf und rîte mich!'
    dô saz der biber ûf in,
dô truoc in der wolf hin,
und quâmen zuo des dahses tür.
50 dô sprach er: 'neve, gêt her vür
durch mînen willen unde saget,
wie iu daz ros behaget!

werde dir einen Dachs schenken, für den du mir noch
in tausend Jahren dankbar sein wirst. [20] Du wirst
dich vierzehn Tage lang nicht mehr rühren können,
so satt wirst du sein. Der Dachs nützt dir mehr als
ich. Bei Gott, willst du mich [25] recht aufrichtig in
Schutz nehmen, dann schenke ich dir noch einen –
und dies, so oft du möchtest, damit du mein Schutz-
schild vor deinen Gefährten bist [30] und sie mich am
Leben lassen.«

Der Wolf antwortete: »Ich helfe dir. Sag, wie kann
ich diesen Dachs bekommen?«

»Er liegt hier unter der Erde [35] in einer Höhle am
Wasser – da hole ich ihn dir schon heraus. Laß mich
auf dich steigen und trabe dorthin, so heiße ich ihn
herauskommen; [40] diese Bitte ist ein leichtes für
mich. Ich sage zu ihm: ›Schaut mir dieses Roß an.‹
Wenn er sich uns daraufhin nähert, kannst du ihn
fangen.«

[45] Der Wolf erwiderte: »Das mache ich, nun sitz
auf und reite mich!«

Da setzte sich der Biber auf ihn, der Wolf trug ihn
fort, und sie kamen zum Haus des Dachses.

[50] Da sprach der Biber: »Vetter, kommt hervor, ich
bitte darum, und sagt, wie Euch dieses Roß gefällt!

ine gilte ez niht mitalle,
ine vernæme, wie ez iu gevalle;
55  ich vürhte, daz ich danne verlür.'
der dahs huop sich her vür,
unze er den wolf ane sach,
dô entweich er wider unde sprach:
'entriuwen, neve, dirre vol,
60  der gevellet mir harte wol,
diu brust ist im vil starc;
ich wil dir geben eine marc,
daz dun vergeltest deste baz.
rît in den wâc und mache in naz,
65  daz ich in rehte gesehe;
mir ist liep, daz dir wol geschehe!
hat er niht vlôzgallen,
sô muoz er uns wol gevallen.
sô wil ouch ich in rennen,
70  ich kan in baz erkennen.'
daz dûhte den wolf guot.
in den wâc er dô wuot –
der was ze guoter mâze tief.
der dahs neben im lief
75  durch ein dicke stûdæhe,
daz er vil wol gesæhe
sînes lieben neven rîten.
er sprach ze allen zîten:
'rît ein wênic in baz,
80  er ist noch niht gar naz!'
des sagete im der biber danc:
hin in den wâc er dô spranc
und quam hin under in den grunt,
von dem wolve wol gesunt.
85  dô lief der dahs hin in sîn hol.
ez zimet ouch noch den liuten wol:
swer sînem vriunde bî gestêt,
sô ez im an die rehten nôt gêt,

Ich werde es gewiß nicht kaufen, bevor ich nicht gehört habe, wie es Euch gefällt; [55] ich fürchte, sonst mache ich ein Verlustgeschäft.«

Der Dachs kroch hervor, als er jedoch den Wolf erblickte, wich er zurück und sprach: »Wahrhaftig, Vetter, dieses Fohlen [60] gefällt mir sehr gut, seine Brust ist sehr kräftig; ich werde dir eine Mark schenken, damit du es besser bezahlen kannst. Reit aber erst noch ins Wasser und mache es naß, [65] damit ich es mir genau anschauen kann; ich möchte, daß du nicht hereingelegt wirst! Hat es keine Flußgalle, dann wird es uns schon gefallen. Danach möchte ich es noch im Galopp reiten, [70] *ich* kann es besser testen.«

Dies hielt der Wolf für gut. Er watete ins Wasser – das war recht tief. Durch ein dichtes Gebüsch lief der Dachs neben ihm her, [76] um den Ritt seines lieben Vetters genau beobachten zu können. Immerfort sprach er: »Reit ein bißchen tiefer hinein, [80] er ist noch nicht ganz naß!«

Dafür dankte ihm der Biber: er sprang ins Wasser und schwamm hinunter auf den Grund, vor dem Wolf gerettet. [85] Der Dachs rannte in seine Höhle zurück.

Dies würde auch den Menschen gut anstehen: Wer seinem Freund hilft, wenn dieser in großer Not ist

sô der man vriunt muoz kiesen
90 oder aber den lîp verliesen –
swer im dâ hilfet genesen,
der mac vil wol sîn vriunt wesen.
    swer sînen rât übersiht,
weizgot, der was sîn vriunt niht.


## 8

Ein vliege einen kalwen man
vil sêre bîzen began,
dâ si im daz houbet blôz vant.
dô sluoc er dar mit sîner hant,
5 dô was diu vliege hin gân.
als der slac was getân,
dô vuor diu vliege aber dar.
des nam der man vil wol war
und râmte ir vaster denne ê.
10 diu vliege sûmte sich niht mê,
si vlouc aber hin und entran.
als dicke beiz si den man,
daz ir ze jungest wart ein slac,
daz si des bîzens enpflac.
15    die vliegen wil ich gelîchen
dem armen, der den rîchen
wil niezen âne sîne schulde
und engert niht sîner hulde,
sô daz der rîche danne kleit
20 und ouch dem armen widerseit.
sô wirt er küener denne ê
und tuot im ie mê unde mê.
sô sprichet der rîche man:
'ist, daz mir sîn got gan,
25 ich heizze in dar umbe henken!'

und ohne Freunde das Leben verlieren würde – [91] wer ihm da hilft, am Leben zu bleiben, der kann wahrhaftig sein Freund heißen.

Wer seines Freundes Rat überhört, der war weiß Gott nicht sein Freund.

## 8
## Die Fliege und der Glatzkopf

Gar schmerzhaft stach eine Fliege einen kahlen Mann, als sie seinen Kopf unbedeckt fand. Der Mann schlug mit seiner Hand nach ihr, [5] doch sie war schon wieder weg. Nach dem Schlag flog die Fliege abermals herbei, dies merkte der Mann sehr wohl und schlug fester nach ihr als zuvor. [10] Die Fliege hielt sich nicht lange auf, flog wieder hin und entkam erneut. Sie stach den Mann so oft, bis er sie schließlich erwischte und sie nicht mehr stechen konnte.

[15] Die Fliege möchte ich mit dem Armen vergleichen, der den Mächtigen grundlos ausnutzt und nicht um dessen Entgegenkommen nachsucht, so daß dieser schließlich Klage führt [20] und dem Armen die Beziehung aufkündigt. Der wird daraufhin noch verwegener als zuvor und plagt ihn mehr und mehr. Endlich wird der Mächtige sagen: »Mit Gottes Hilfe [25] lasse ich ihn deswegen aufhängen!« Dann wird

sô muoz der arme wenken
und muoz als diu vliege varn.
des enkan er ouch niht wol bewarn:
man lâget im hie unde dâ,
30 unz er ze jungest etewâ
gevangen wirt und tôt geliget,
und daz der rîche an im gesiget.
    swer als diu vliege wirbet,
sô der als diu vliege stirbet,
35 den wil ich als die vliegen klagen,
diu an dem glatze wart erslagen.
daz merken, die dâ zucken
und sich ofte müezen tucken.


### 9

Ist der hase alsô getân,
daz er lewen wil bestân –
daz enheize ich niht vrümekeit:
ez ist ein gouchliche arebeit.
5 er ist mit dem tîvel behaft,
ob er bestêt solch überkraft,
dâ er niemer mac gesigen
und âne zwîvel tôt geligen.
    swer sîne tage alsô gelebet,
10 daz er wider die êre strebet,
der muoz ouch wider got wesen:
swenne des sêle sol genesen,
dâ kumet diu sêle kûmer zuo,
denne der hase vor dem lewen tuo.

der Arme schwanken, und es wird ihm wie der Fliege ergehen. Er kann nun auch keinen Schutz mehr finden: man wird ihm an allen Orten auflauern, [30] bis er schließlich irgendwo gefangen wird und stirbt, und der Mächtige ihn besiegt hat.

Wer sich wie die Fliege verhält und wie die Fliege stirbt, [35] den will ich wie die Fliege beklagen, die auf der Glatze erschlagen wurde. Das mögen sich die zu Herzen nehmen, die raubend umherziehen und sich oft schnell verstecken müssen.

# 9

## Der Hase und der Löwe

Einen Hasen, der gegen Löwen kämpfen will – das nenne ich nicht Tapferkeit: es ist eine Narretei. [5] Wer gegen solche Übermacht, bei der er niemals siegen kann und ohne Zweifel getötet werden wird, besteht, der ist vom Teufel besessen.

Wer sein Leben [10] im Widerstand gegen die Ehre verbringt, der ist auch ein Gegner Gottes: wenn dessen Seele errettet werden soll, so wird dies schwieriger sein als der Kampf des Hasen mit dem Löwen.

Uf einem grüenen rîse
sanc ein vogel sîne wîse
eines morgens vil vruo.
im was sô ernest dar zuo,
5 daz er sîn selbes vergaz
und alsô singende saz,
unz ein sparwære dar swanc,
dô er aller wünniclicheste sanc,
und nam in in sîne vüeze.
10 dâ wart im sîn stimme unsüeze,
und sanc, als die dâ singent,
die mit dem tôde ringent.
    alsô vröuwent sich der werlde kint,
die sô vaste mit der werlde sint,
15 daz si got verlâzent under wegen
und wellent deheiner vorhte pflegen
und tuont, swaz in gevellet,
unz si der tôt ersnellet
und si würget alsô drâte,
20 daz in helfe kumet ze spâte.
sus nimet ir vröude und ir spil
ein bœser ende und ein zil
denne des vogeles, der dâ sanc,
unz er den tôt dâmit erranc.
25 diu nôt, die im sîn sanc erwarp,
der was ein ende, dô er starp.
sô ist der werldekinde nôt,
diu âne riuwe ligent tôt,
âne ende und alsô manicvalt,
30 daz si immer belîbent ungezalt.

# 10
## Der Vogel und der Sperber

Auf einem grünen Aste sang eines Morgens früh ein
Vogel sein Lied. Er war so eifrig bei der Sache, [5]
daß er sich selbst vergaß, und so saß er da und sang,
bis sich ein Sperber herabschwang und ihn zwischen
seine Klauen nahm, gerade als er am allerwonniglich-
sten trällerte. [10] Da wurde seine Stimme heiser, und
er sang wie jene, die mit dem Tode ringen.

In derselben Weise freuen sich die Weltkinder, die so
fest mit dieser Welt verbunden sind, [15] daß sie Gott
vergessen, furchtlos leben und tun, was ihnen gefällt,
bis sie der Tod ereilt und so schnell würgt, [20] daß
ihnen jede Hilfe zu spät kommt. So nehmen ihre
Freude und ihr Vergnügen ein schlimmeres Ende als
der Vogel, der da sang und dadurch zu Tode kam.
[25] Denn das Leiden, das ihm sein Singen einbrachte,
war mit seinem Tode zu Ende. Die Leiden der Welt-
kinder aber, die ohne Reue sterben, werden endlos
und so vielgestaltig sein, [30] daß man sie gar nicht
aufzählen kann.

*even more than the bird's suffering*

Ich hœre sagen vür wâr:
der einen hasen zehen jâr
an einem bande gehabe,
gezihe er im daz bant abe,
5 er werde dannoch wilde.
   daz ist ein gelîchez bilde:
swie lange ein man die êre hât,
swenne er si ûz der huote lât,
si wirt noch wilder denne der hase,
10 der da loufet an dem grase.

# 11
## Der Hase

Ich habe folgende Wahrheit erzählen hören: ein Hase, der zehn Jahre an der Leine gehalten wird, wird trotzdem wieder wild, wenn man ihm die Leine abnimmt.

[6] Dies ist ein Gleichnis und bedeutet: ein Mensch mag noch so lange in Ehren leben, wenn er die Ehre aus den Augen verliert, wird sie ihm noch fremder als der Hase, [10] der da im Gras herumspringt.

*if he loses sight of it*

# Allegorische Erzählungen

## (Tierparabeln)

Ein jeger vuor in einen walt,
dâ wâren die affen ungezalt,
dâ wolder jagen inne.
dô sach er ein effine.
5 den hunden er vaste dar schrei.
diu effine het ir kint zwei:
der was si einem vil holt,
an dem andern hæte si verdolt,
daz ez hinder ir beliben wære,
10 daz was ir gar unmære.
si truoc daz liebe kint hin,
dô het daz leide den sin,
daz ez si umbe den hals gevienc
und ir sô vaste ane hienc,
15 daz siz ouch hin muose tragen.
dô begunde der jeger alsô jagen,
daz si niht mohte entrinnen.
des wart si wol innen
und warf daz lieber kint von ir.
20 daz was ir wille und ir gir,
daz si von dem leiden wære entladen;
daz machete ir vil grôzen schaden:
ez hienc ir an unz an die vart,
daz si dâ mit gevangen wart.
25 nu hœret unde merket mich,
waz dem jeger sî gelich,
der die effine brâhte in nôt:
daz ist der vil gewisse tôt,
der uns allen ist beschaffen;
30 der jaget vil manigen affen.
nu merket diu kint beide,
daz liebe und daz leide:
daz liebe kint ist werltlich guot,
des man sich müelîche abe getuot;

## Die Affenmutter und ihre Kinder

Ein Jäger ging in einen Wald, den zahllose Affen bevölkerten, um darin zu jagen. Da erblickte er eine Affenmutter. [5] Laut rief er den Hunden zu, ihr nachzurennen.

Die Affenmutter hatte zwei Kinder: das eine liebte sie sehr, das andere hätte sie leichten Herzens zurückgelassen, [10] es war ihr völlig gleichgültig. Das geliebte Kind nahm sie mit sich, doch das ungeliebte klammerte sich um ihren Hals und hängte sich so fest an sie, [15] daß sie es auch mit sich tragen mußte.

Der Jäger jagte so, daß sie nicht entkommen konnte. Dies merkte sie und warf das geliebte Kind von sich. [20] Ihr innigster Wunsch wäre es allerdings gewesen, das ungeliebte abzuschütteln. Dieses schadete ihr sehr, denn es hängte sich an sie, bis sie schließlich mit ihm gefangen wurde.

[25] Nun hört und merkt auf, was dem Jäger gleicht, der die Affenmutter in diese Zwangslage brachte: es ist der unentrinnbare Tod, der uns allen beschieden ist; [30] der jagt gar viele Narren.

Gebt nun acht, was die beiden Kinder bedeuten, das geliebte und das ungeliebte: das geliebte Kind steht für irdisches Gut, von dem man sich so schwer

35  daz hât vil maniger unz an den tac,
    daz ers niht mêr gehaben mac.
    die sünde sint daz leide kint;
    swie leit si doch dem menschen sint,
    si halsent sich doch vaste an in.
40  sô erz guot muoz werfen hin
    und ez niht vürbaz bringen kan,
    sô hangent im die sünde an,
    unz in der tîvel dar mit vâhet.
    hæte er si ê versmâhet
45  und hæte sich ir abe getân,
    sô würde er maniger nôt erlân.
        die affen sîn junc ode alt,
    ir aller muot ist sô gestalt,
    daz si vremde vröude borgent
50  und selten rehte sorgent
    umbe deheine künftige nôt –
    daz ist vil maniges affen tôt.


### 13

    Ez was hie vor ein weideman,
    der nam sich guote hunde an,
    die wol ze jagene tohten.
    si kunden unde mohten
5   den hirz vil wol gevâhen!
    swie vaste er kunde gâhen,
    den si sich an genâmen,
    si kunden sîn sô râmen,
    daz er niender mohte vinden
10  weder den hirz noch die hinden,
    dô er sich möhte entsagen mit.
    swie kleine er machete sîne trit,
    sin enwolden niht vermissen –
    in jageten die gewissen,

trennt; [35] das besitzen viele so lange, bis sie es nicht mehr halten können. Das ungeliebte Kind steht für die Sünden; wie wenig der Mensch sie auch mag, sie klammern sich doch fest an ihn. [40] Wenn er das Gut hingeben muß und es nicht länger sein eigen nennen kann, dann bleiben doch die Sünden an ihm hängen, bis ihn der Teufel damit fängt. Hätte er sie früher verschmäht [45] und sich von ihnen losgesagt, dann bliebe ihm viel Unglück erspart.

Die Affen mögen jung oder alt sein, alle ihre Gedanken sind darauf gerichtet, fremde Freude zu erhaschen, [50] und niemals sorgen sie sich richtig um die Nöte der Zukunft – dies bedeutet aller Affen Tod.

## 13

### Der Jäger

Einst lebte ein Jäger, der besaß edle Hunde, die ausgezeichnet zur Jagd taugten. Sie konnten [5] einen Hirsch wohl fangen! Einen, den sie verfolgten, der mochte noch so schnell fliehen, sie konnten ihm derart schnell nachhetzen, daß er nirgendwo [10] einen Hirsch oder eine Hindin finden konnte, die er zu seiner Verteidigung hätte herbeiholen können. Wie klug er seine Tritte auch lenkte, sie verfehlten

15  unz er den lîp unde daz leben
    umbe sînen tôt muose geben.
       eines tages jageten si einen,
    daz si ê nie deheinen
    sô verre vliehen liezen.
20  des enmohte er niht geniezen,
    si macheten im solch gedrenge,
    daz im ein walt wart ze enge.
    dô wolde er vliehen balde
    zuo einem andern walde.
25  dâ enzwischen was ein michel velt,
    dô vlôch er baz denne enzelt,
    daz er den lîp niht verlür.
    dô was ein dorf, dô muose er vür.
    daz wart im ze sûre!
30  in gesâhen die gebûre,
    die schrirn in an mit schalle.
    dô quâmen ir hovewart alle –
    daz was des hirzes unheil!
    der hovewarte was ein teil
35  beide winde und hovewarte kint
    oder halb rüden unde halb wint
    oder halb rüden oder halb hovewart.
    sust wâren si von der halben art,
    beide stark, küene und snel.
40  des muose der hirz sîn vel
    vil engestlîche hintragen.
    der selben zwitarn jagen
    wart ein wîle sô grôz,
    daz sîn den hirz von in verdrôz,
45  wande si in von den hessehunden triben,
    daz die verre dort hinden bliben.
    iedoch quam er mit gewalt
    dâ bî in einen dicken walt
    und entran den hovewarten,
50  die in sam die lêbarten

ihn nicht – sie jagten ihn mit Kennerschaft, [15] bis er
Leib und Leben hingeben mußte für den Tod.

Eines Tages jagten sie einen – keinen hatten sie je
zuvor so weit fliehen lassen. [20] Doch er hatte nichts
davon, denn sie bedrängten ihn so sehr, daß ihm der
Wald zu eng wurde. Da wollte er rasch in einen
anderen Wald fliehen.

[25] Zwischen beiden Wäldern war ein breites Feld,
darüber floh er weit schneller als im Paßgang, um
sein Leben zu retten.

Ein Dorf lag da, an dem er vorbei mußte. Dies wurde
ihm zum Verhängnis! [30] Die Bauern erblickten ihn
und schrien ihn lärmend an. Da kamen alle ihre
Hovawarts herbei – das war des Hirsches Tod!

Einige der Hovawarts waren [35] Kinder von Wind-
hunden und Hovawarts, andere waren halb Schäfer-,
halb Windhunde, wieder andere halb Schäferhunde,
halb Hovawarts. Sie waren Mischlinge, kräftig, ver-
wegen und kühn. [40] So mußte der Hirsch seine
Haut in großer Angst hinwegtragen.

Diese Bastarde jagten den Hirsch einige Zeit so stark,
daß sie ihm ziemlich auf die Nerven gingen, [45] und
sie trieben ihn von den Hetzhunden weg, die weit
hinten zurückblieben. Unter großer Anstrengung er-
reichte er so einen dichten Wald und entkam den
Hovawarts, [50] die ihn schon wie die Leoparden

von sprunge wâren ane komen;
den het in nu der walt genomen.
es was iedoch sîn ungenist:
dar quâmen in vil kurzer vrist
55  die edelen unverzageten,
die in von der ruowe jageten,
und wurfen in ze jungest nider.
die hovewarte kêrten wider.
    dô wart ein michel schallen
60  von den gebûren allen,
ieteslicher lobete sînen hunt.
'der mîn ist bezzer denne ein pfunt',
sprach einer, 'sam mir mîn lîp!
beide ich und mîn wîp
65  hân unser brôt wol bewant.'
dô sprach ein ander zehant,
der sîne wære der beste,
den er in der werlde weste.
des jâhen si alle gemeine;
70  daz loben was niht kleine,
daz si jâhen ir hunden.
wie die tôren loben kunden
vor den der hirz vil wol genas!
und welch ein narren lop daz was,
75  daz si mit schalle
sô vaste lobeten alle,
und der vil gar verdageten,
die den hirz von ruowe jageten
und im nicht abe giengen
80  unz si in ze jungest viengen –
der lop, der læge billîche obe!
    waz dem gejagede und dem lobe
vil wol gelîche müge sîn,
daz merket durch den willen mîn!
85  daz sint, die êre vâhent
und ir immer nâch gâhent,

angesprungen hatten. Dies konnten sie jetzt wegen des Waldes nicht mehr. Dennoch bedeutete das sein Verderben, denn bald darauf kamen [55] die unverzagten Reinrassigen daher, die ihn vom Lager aufgescheucht hatten, und brachten ihn schließlich zu Fall. Die Hovawarts kehrten zurück.

Da vollführten die Bauern einen großen Lärm, [61] jeder rühmte seinen Hund.

»Meiner ist mehr als ein Vermögen wert«, sagte einer, »bei meinem Leben! Ich und meine Frau [65] haben unser Brot gut angelegt.«

Sofort entgegnete ein anderer, seiner sei der beste auf der Welt. Alle zusammen sagten sie das; [70] das Lob, das sie ihren Hunden zollten, war nicht gering. Welches Lob diese Dummköpfe doch austeilen konnten, vor denen der Hirsch so gut davongekommen war! Und was für ein Narrenlob war das doch, [75] daß sie alle ihre Hunde so lautstark rühmten und über jene gar kein Wort verloren, die den Hirsch aufgebracht hatten und ihm nicht von den Fersen gewichen waren, [80] bis sie ihn schließlich gefangen hatten – richtig wäre gewesen, wenn deren Ruhm an erster Stelle gestanden hätte!

Merkt euch, wofür diese Jagdhunde und deren Lob ein Gleichnis sind! [85] Es bezeichnet jene, die Ehre erreicht haben und stetig nach ihr streben; die durch

die von den tugenden edel sint:
der êren vater und ir kint.
swer die êre kan begân,
90  der mac si wol ze kinde hân,
wan si von sînen tugenden kumt.
sô im die êre danne vrumt
und *im* in der werlde lop gebirt,
daz er wert von ir schulden wirt,
95  sô mac er ir ze vater jehen.
die dinc sint beide an den geschehen,
der got und êre minnet.
swaz er immer gewinnet,
daz zert er umbe ir beider gunst;
100  der hât den lîp und die kunst
gemachet ûf ir beider vart.
sîn tugent und sîn edeliu art,
die machent in sô gîtic
ze jagene und alsô strîtic,
105  swie vil man im êren giht,
der wil in doch genüegen niht.
er tuot sam der edel hunt:
sô der machet ungesunt
zweinzic hirz oder mê,
110  sô jaget er gerner denne ê.
alsô tuot der biderbe man,
dem lobes niht genüegen kan.
swelch ritter tage unde guot
sô ritterlîche vertuot,
115  loufet im an der êren spor
ein zwitarn eine wîle vor
und kêret schiere von der vart
und ist aber danne ein hovewart.
swer den lobete vür in,
120  daz wære ein vil tumplicher sin.
swer alle zît mit êren lebet
und alle zît nâch êren strebet,

ihre Tugenden edel sind: der Ehren Vater und ihr
Kind.
Wer in Ehren lebt, [90] der kann die Ehre ganz gut für
sein Kind halten, denn sie stammt von seinen Tugen-
den ab. Wenn sie ihm dann Nutzen bringt und ihm
das Lob der Menschen einträgt, so daß er durch sie
noch angesehener wird, [95] dann mag er sich ihren
Vater nennen. Beides fügt sich dem, der Gott und
Ehre liebt. Was er auch erhält, gibt er hin, um ihrer
beider Gunst zu erlangen; [100] er hat seine ganze
Lebensweise auf diese beiden hin ausgerichtet. Seine
Tugenden und seine edle Art machen ihn so begierig
und versessen auf die Jagd nach der Ehre, [105] daß er
nie genug von ihr erreichen kann.
Er verhält sich wie der reinrassige Hund: hat dieser
zwanzig oder mehr Hirsche zu Tode gehetzt, [110]
dann macht ihm die Jagd erst richtig Spaß. In dersel-
ben Weise verhält sich der angesehene Mann, dem
das Lob, das man ihm spendet, nie ausreicht.
Wenn einem Ritter, der sein Leben ritterlich ver-
bringt und seinen Besitz standesgemäß verwaltet,
[115] auf der Fährte der Ehre eine Zeitlang ein Bastard
voranläuft und dann schnell wieder zurückkehrt,
dann war dies bestimmt ein Hovawart. Wer den
mehr lobte als ihn, [120] der wäre ein Narr.
Ich rühme den vor allen anderen, der allzeit in Ehren
lebt und allzeit nach Ehren strebt. [124] Leicht mag

    den lob ich vor in allen.
    in mac einer überschallen
125  vil lîhte ze einer kurzen vrist,
    der halp ritter und halp gebûr ist –
    und ist ein wuocheræere gewesen,
    und wil mit wuocher wol genesen;
    swie gâch *im* zuo der êre sî,
130  er ist unlange dâ bî.
    im wirt von danne alsô gâch,
    dâ hœret ein kurzez lop nâch.
    swer beide lange unde vil
    den selben zwitarn loben wil
135  niht mê wan durch den einen schal,
    daz lop wirt schiere sô smal,
    ezn vullet niemen sîne ôren.
    ich erloube wol den tôren,
    daz si die zwitarn loben;
140  hât man daz schiere vür ein toben,
    daz zimet dem lobæere wol
    und ienem, dem daz lop sol.
    daz selbe lop ist niender guot
    wan dâ heime bî der gluot.
145  dô leit der tôren lop wol obe,
    gelîche der gebûren lobe,
    die ir hovewarten jâhen,
    die si unverre loufen sâhen,
    es wæren die besten hunde,
150  die iemen vinden kunde.
      ich gan des wol den wîsen,
    daz si die stæte prîsen.
    der stæten lop sol stæte sîn,
    in stæter tugende liehter schîn,
155  des liuhtet von den êren viuwer.
    man sol in geben ze stiuwer
    ganzes lop von offenlicher kunst
    und aller rehten liute gunst.

diesem einmal einer, der halb Ritter und halb Bauer ist, eine kurze Zeit lang im öffentlichen Ansehen überlegen sein – aber es ist ein Aufschneider gewesen, und er wird mit Aufschneiderei sein Leben verbringen; wie sehr er auch zur Ehre hinstrebt, [130] er wird sie nicht erreichen. Er hat es so eilig, wieder wegzukommen, daß diesem Unternehmen kein Lob gebührt. Das Lob von einem, der einen solchen Bastard ausgiebig und nur wegen dieses einmaligen Aufsehens rühmt, [136] wird schnell so dünn werden, daß es niemandem die Ohren füllt.

Dummköpfen erlaube ich gerne, die Bastarde zu loben; [140] erkennt man schnell, daß es barer Unsinn ist, so geschieht dies dem Lobenden und jenem, dem das Lob gilt, ganz recht. Dieses Lob taugt allenfalls zu Hause am Herd. [145] Da steht das Narrenlob wohl an erster Stelle, wie das Lob der Bauern, die über ihre Hovawarts erzählten, die sie gar nicht weit weglaufen sahen, es seien die besten Hunde, [150] die es überhaupt gäbe.

Die Weisen sollten die Ausdauer rühmen. Das Lob derer, die ausdauernd sind, soll ausdauernd sein und erstrahlen in dem Glanz beständiger Tugend, [155] der vom Feuer der Ehre ausgeht. Für sie sollte man ein uneingeschränktes und offenes Lob sowie die Gunst aller rechtschaffenen Menschen beisteuern.

# Märchen

Hie vor dô quâmen zwelf man
in einen vinsteren tan,
si wurden irre dar inne.
daz quam in ze ungewinne.
5   si gâhten vür sich übermaht
und wurden verre in der naht
eines viures gewar;
balde huoben si sich dar.
dâ vunden si ein hûs stân,
10  dar inne ein wîp wolgetân.

dô si in das hûs quâmen,
einen türsen si vernâmen
verre in dem walde.
der lief dar vil balde
15  mit eislichem schalle,
daz si verzageten alle.
'ôwê mir', sprach daz wîp,
'mîn man nimet iu den lîp!
stîget dort hin ûf daz gaden,
20  ich gan iu übel iuwers schaden.
ich nerte iuch gerne, wesse ich wie.'
ûf die hœhe si si lie.

dô der türse in daz hûs lief,
daz wîp er vaste ane rief,
25  wâ die menschen wæren.
sine wolde si niht vermæren,
si sprach: 'hie enist niemen.'
er sprach: 'und ist hie iemen,
des wirde ich schiere gewar.'
30  er suochte hin unde dar,
dô sach er si dort oben stân.
'ich muoz iuwer einen hân',
sprach er: 'dâ *en*ist niht wider!

## 14

## Der Riese

Zwölf Männer gingen einst in einen finsteren Wald und verirrten sich darin. Das brachte ihnen Unglück.

[5] Sie eilten nach Kräften voran und erblickten tief in der Nacht ein Feuer; schnell machten sie sich dorthin auf. Da fanden sie ein Haus [10] und eine schöne Frau darin.

Als sie in das Haus gekommen waren, hörten sie weit draußen im Wald einen Riesen. Der rannte mit schrecklichem Getöse daher, [16] so daß sie alle verzagten.

»Weh mir«, sprach die Frau, »mein Mann nimmt euch das Leben! Klettert dort in den Verschlag hinauf, [20] ich möchte nicht, daß euch etwas zustößt. Ich würde euch gerne retten, wüßte ich nur wie.« Sie ließ sie hinaufsteigen.

Als der Riese in das Haus rannte, schrie er die Frau an, [25] wo denn die Menschen wären.

Sie wollte sie nicht verraten und antwortete: »Hier ist niemand!«

Er sprach: »Und wenn hier doch jemand ist, merke ich das schnell.«

[30] Er suchte hier und dort, da sah er sie dort oben stehen.

»Einen von euch muß ich haben«, sprach er, »dage-

den werfet mir balde her nider,
35  oder ez ist iuwer aller tôt!'
dô tâtens, als er in gebôt.
den swachesten under in,
den wurfen si dem türsen hin.
den het der ungetriuwe vrâz
40  in vil kurzer vrist gâz.
zorniclîche sprach er:
'gebet mir aber einen her!'
den wurfen si im aber dar.
den selben âz er ouch gar,
45  daz im sîn niht über wart.
'ir müezet alle an die vart',
sprach der ungehiure.
er briet si bî dem viure
und hiez im aber einen geben.
50    alsô nam er in daz leben
und leibete ir deheinen,
unz er bequam an einen,
den hiez er ouch dar abe gân.
'daz wirt nimmer getân!'
55  sprach er dort oben iesâ.
'sô hole ich dich aber dâ',
sprach der türse, 'ich wil dich verzern.'
'des wil ich mich entriuwen wern',
sprach der man vil drâte.
60  'sich, daz ist nu ze spâte!'
sprach der gîtesære,
'dô du selbe zwelfter wære,
dô soldestu dich hân gewert,
sô möhtestu dich hân genert.
65  dîn wer ist nu dâ hin.'
dô gie er dar und âz ouch in.
dem türsen tuot gelîche
ein übel herre rîche,
der ein geslehte vertrîben wil:

gen hilft nichts! Werft mir den schnell herunter, [35] oder ihr müßt alle sterben!«

Da taten sie, was er ihnen befahl. Den Schwächsten unter ihnen warfen sie dem Riesen hin. Den hatte der treulose Freßsack [40] schnell verschlungen.

Wütend sprach er: »Gebt mir noch einen her!«

Sie warfen ihm auch den hinunter. Den fraß er ebenso auf, [45] so daß nichts von ihm übrig blieb.

»Ihr kommt alle dran«, sprach der Unhold. Er briet sie am Feuer und ließ sich einen nach dem andern geben.

[50] So nahm er ihnen das Leben und verschonte keinen, bis er zum letzten kam; auch ihm befahl er, herabzusteigen.

»Niemals!« [55] sprach der droben auf der Stelle.

»Dann hole ich dich halt da herunter«, sagte der Riese, »ich will dich fressen.«

»Ich werde mich aber wehren«, sprach der Mann hastig.

[60] »Sieh, das ist nun zu spät!« antwortete der gierige Kerl, »als du noch mit den elf anderen zusammen warst, da hättest du dich wehren sollen, da hättest du dich noch retten können. [65] Jetzt kannst du dich nicht mehr verteidigen.«

Wie der Riese verhält sich ein schlechter mächtiger Herr, der eine Familie aus seinem Lande vertreiben

70  sô hebet er daz nîtspil
    an dem swachesten manne.
    verzagent die andern danne
    und lâzent in vertrîben,
    daz si mugen belîben
75  in sînen hulden dester baz,
    sô kêrt er aber sînen haz
    vil schiere ûf einen
    und leibet ir deheinen,
    unz er si gar vertrîbet,
80  daz ir deheiner belîbet,
    daz si alle daz selbe erkiesent.
    sô si danne einen verliesent,
    sô si sich ie wirs mugen erwern.
       swer sich welle ernern,
85  der wer sich bezîte,
    daz er des niht enbîte,
    daz in diu überkraft bestê.
    ez ist im guot, wert er sich ê –
    als in der türse überwunden hâte,
90  sô werte er sich ze spâte.

will: [70] Er beginnt mit den Feindseligkeiten beim Schwächsten. Verzagen dann die anderen und lassen zu, daß er vertrieben wird, nur damit sie [75] um so sicherer in seiner Gnade bleiben, dann richtet er seinen Haß unverzüglich auf den nächsten. Er verschont keinen, bis er sie alle vertrieben hat [80] und keiner mehr übrig bleibt, es ihnen allen gleich ergeht. Je mehr sie verlieren, je schlechter können sie sich wehren.

Wer sich retten will, [85] wehre sich beizeiten und warte nicht, bis der Stärkere ihn bekämpft.

Für den Mann wäre es gut gewesen, wenn er sich früher gewehrt hätte – als ihn der Riese überwunden hatte, [90] wehrte er sich zu spät.

# Moralische Erzählungen

## (Mären)

Hœret, waz einem manne geschach,
an dem sîn êlich wîp zebrach
beide ir triuwe und ir reht.
der het einen gevüegen kneht.
5 der wart des an ir innen,
daz si begunde minnen
heimlîche ir pfarræere.
daz was dem knehte swære.
er halz den meister umbe daz:
10 er vorhte, er würde im gehaz,
ob er im des verjæhe,
ê er die wârheit sæhe.
   Der wirt vuor ze acker und ze holz.
daz wîp, hövisch unde stolz,
15 sô si in den hof sach rûmen,
sône wolde siz niht sûmen,
si koufte met unde wîn.
swaz guoter spîse mohte sîn,
der briet si vil unde sôt.
20 sô si dem pfaffen danne enbôt,
daz der wirt was entwichen,
sô quam er dar geslichen,
als ein minnediep von rehte sol.
sô si danne gâzen harte wol,
25 sô begundens an ein bette gân
und begunden dâ kurzwîle hân.
alsô vertriben si manigen tac.
   ie nahtes, sô der wirt lac
bî dem wîbe unde slief,
30 sô pflac si, daz si in ane rief,
unz er sîn slâfen muose lân.
si hiez in balde ûfstân
und hiez in hin ze holze varn.

# 15

## Der kluge Knecht

Hört, wie es einem Mann erging, dessen Ehefrau die
Treue brach und damit das Eherecht verletzte. Er
hatte einen klugen Knecht, [5] der merkte, daß sie
heimlich ein Verhältnis mit ihrem Pfarrer hatte. Den
Knecht bedrückte dies, doch er verbarg es seinem
Meister, [10] weil er fürchtete, dieser würde wütend
auf ihn, wenn er es ihm erzählte, ohne es beweisen zu
können.

Der Herr fuhr auf den Acker und in den Wald. So-
bald die hoffärtige und stolze Frau sah, daß er den
Hof verließ, [16] beeilte sie sich, Met und Wein zu
kaufen. Sie briet und kochte allerlei gute Speisen. [20]
Wenn sie daraufhin dem Pfaffen ausrichten ließ, daß
der Herr das Haus verlassen hatte, dann kam der
herbeigeschlichen, wie das die Minnediebe so tun.
Und wenn sie dann gut gegessen hatten, [25] stiegen
sie ins Bett und hatten ihren Spaß. Auf solche Weise
verbrachten sie viele Tage.

Jede Nacht, wenn der Herr bei seiner Frau lag und
schlief, [30] pflegte sie ihn so lange zu rufen, bis er
nicht mehr schlafen konnte. Sie befahl ihm, schnell
aufzustehen und in den Wald zu fahren.

si sprach: 'wil du die vart sparn,
35  unz uns diu naht gerûmet,
sô hâst du dich versûmet.
die tage sint zemâzen lanc –
daz nim in dînen gedanc
und var enwec balde.
40  ez ist verre hin ze walde,
ouch sint diu rinder harte laz;
du solt dich vrüewen deste baz!'
      'deiswâr', gedâhte der kneht,
'ez wære billich unde reht,
45  wesse mîn meister iuwern muot,
waz ir untriuwen uns tuot.
deiswâr, mac ich ez gevüegen,
ich wil iuch schiere rüegen
sô rehte mit der wârheit,
50  daz ez iu wirt ein herzeleit.'
dô si zuo dem viuwer quâmen
und ir gewant an sich genâmen,
dô swuor der kneht dâ vür:
er quæme tâlanc vür die tür,
55  ern wære vil wol enbizzen ê;
im tæte der hunger sô wê,
daz er enbîzen solde,
ê er iender varn wolde.
daz was der vrouwen ungemach.
60  iedoch dô si den ernest ersach
dô brâhte si einen kæse und brôt.
si sprach: 'nu iz den grimmigen tôt!
dune tuost ez durch den hunger niht;
maht du daz werc gesûmen iht,
65  des bist du ze allen zîten bereit
durch dîne grôze schalcheit.'
      si âzen, als si wolden,
und vuoren, als si solden.
dô si verre quâmen an die vart:

Sie sprach: »Zögerst du zu fahren, [35] bis die Nacht
vorüber ist, dann kommst du zu spät. Die Tage sind
nur noch kurz – denke daran und fahr rasch fort. [40]
Zum Wald hin ist es weit, und die Ochsen sind sehr
langsam; um so früher mußt du los!«

»Bei Gott«, dachte der Knecht, »es wäre recht und
billig, [45] wenn mein Meister Eure Gedanken ken-
nen würde und wüßte, wie falsch Ihr uns gegen-
über seid. Bei Gott, wenn es mir gelingt, dann werde
ich bald die Wahrheit ans Licht bringen und Euch
so unzweideutig entlarven, [50] daß es Euch sehr
schmerzlich zu Herzen gehen wird.«

Als sie zum Herd gekommen waren und ihre Sachen
angezogen hatten, da tat der Knecht einen Schwur: er
ginge den ganzen Tag über nicht vor die Tür, [55]
bevor er nicht ausreichend gegessen hätte; der Hun-
ger quälte ihn so sehr, daß er essen müßte, bevor er
irgendwohin fahren könnte.

Dies paßte der Herrin gar nicht. [60] Als sie jedoch
sah, daß es ernst war, brachte sie einen Käse und Brot
herbei.

Sie sprach: »Nun friß dich zu Tode! [63] Du ißt nicht
aus Hunger; weil du bösartig bist, hast du allezeit
nichts anderes im Kopf, als dich vor der Arbeit zu
drücken.«

Sie aßen nach Wunsch und fuhren dann auftragsge-
mäß ab.

70 'meister, nemet disen gart',
sprach der kneht wider in,
'und vart ein wîle hin!
ich muoz hin wider gân,
ich hân dâ heime verlân
75 mîne viustelinge und mînen huot.'
des wart der meister ungemuot,
dô sprach er: 'nu louf balde!'
und vuor er hin ze walde.
    daz was dem knehte harte liep.
80 er verstal sich tougen als ein diep
hin in daz hûs an einem gemach,
dâ man in niht hôrte noch ensach.
    Sîn vrouwe, diu was vil gemeit,
si greif an ir gewonheit
85 und bereite vil guote spîse.
dô wânde diu unwîse,
ez wære harte wol verholn
und al der werlte vor verstoln.
dâ *si* sich selben mit betrouc.
90 ein schœne swîn, daz dannoch souc,
daz vulte si und briet ez wol.
ein kannel guotes metes vol,
die vulte si, dâ si in veile vant.
dar zuo buoch si zehant
95 ein vochenzen, wîz als ein snê,
und sande aber alsam ê
heimlîche nâch dem pfaffen.
doch nemohte si niht geschaffen,
daz si die spîse bereite.
100 unze si sô lange gebeite,
dô si ze tische wâren gesezzen,
ê si begunden ezzen,
daz der wirt hin wider heim quam.
    dô man sîn kunft vernam,
105 dô wânde der pfarrære,

Als sie ein Stück weit gegangen waren, sprach der Knecht zum Herrn: »Meister, nehmt diese Rute [72] und fahrt ein wenig voraus! Ich muß zurück, ich habe meine Fäustlinge und meine Mütze zu Hause gelassen.«

[76] Darüber ärgerte sich der Meister und antwortete: »Nun mach schon!« Er fuhr zum Wald hin.

Dem Knecht war dies gerade recht. [80] Heimlich wie ein Dieb stahl er sich im Haus in ein Zimmer, in dem man ihn weder hörte noch sah.

Seine Herrin war bester Stimmung, wie gewöhnlich [85] bereitete sie eine gute Mahlzeit vor. Die Närrin glaubte, alles geschehe im Verborgenen, und keiner würde es merken. Das war Selbstbetrug.

[90] Sie füllte ein prächtiges Spanferkelchen und briet es gut durch. Sie kaufte eine Kanne voll mit gutem Met, dazu buk sie [95] einen Kuchen, so weiß wie Schnee. Dann schickte sie wie früher heimlich nach dem Pfaffen.

Doch sie konnte die Mahlzeit nicht zu Ende bereiten. [100] Weil sie so lange hatte warten müssen, bis sie sich beide zu Tisch setzen konnten, war der Herr nach Hause gekommen, bevor sie angefangen hatten zu essen.

Als man hörte, daß er ankam, [105] glaubte der Pfarrer, es sei der Knecht. Deshalb erschraken sie zu-

daz ez der kneht wære.
dâ von erkômen si niht
durch die niuwen geschiht,
daz der kneht dâ heime beleip
110   und daz der meister selbe treip
sîniu rinder von dem walde.
er lief zuo der tür balde
und stiez dar an mit grimme.
dô schuof des wirtes stimme
115   und ouch der zornicliche stôz,
daz si bî ein ander verdrôz,
beide den pfaffen und daz wîp.
'vrouwe, hilf, daz ich den lîp
behalte!' sprach der pfaffe,
120   'ich wirde ein rehter affe,
begrîfet mich der wirt hie.
ich gewan sô grôze angest nie!
ich hœre wol, im ist zorn,
ich wæne, ich hân den lîp *verlorn*!'
125   dô gewan si manigen gedanc
und hiez in under eine banc
in einen winkel ligen gân.
daz si dâ gâz solden hân,
daz barc si allez von dem wege.
130      daz nam der kneht in sîne pflege,
daz er wol sach, war siz barc;
er was der vrouwen ze karc.
dô den wirt niemen in liez,
mit grimme er aber ane stiez
135   und begunde daz wîp schelten.
noch balder denne zelten
lief si dô zuo der tür,
si sprach: 'ob ich den lîp verlür,
ichn mohte niht ê her komen;
140   ich het ein werc in die hant genomen,

nächst nicht durch die neue Lage, daß nämlich der
Knecht zu Hause geblieben war [110] und der Mei-
ster seine Ochsen selbst vom Wald zurückgetrieben
hatte.

Dieser eilte zur Tür und stieß grimmig dagegen. Des
Herrn Stimme [115] und das wütende Gepolter ver-
darben dem Pfaffen und der Frau das Stelldichein.

»Frau, hilf, daß ich am Leben bleibe!« winselte der
Pfaffe, [120] »ich blamiere mich vor der ganzen Welt,
wenn mich der Herr hier erwischt. Nie hatte ich
solche Angst! Ich höre sehr gut, wie wütend er ist,
ich fürchte um mein Leben!«

[125] Da ging ihr manches durch den Kopf, schließ-
lich sagte sie ihm, er solle sich unter die Eckbank
legen. Was sie hatten essen wollen, schaffte sie alles
beiseite.

[130] Der Knecht beobachtete dies und sah genau, wo
sie es versteckte; er war schlauer als die Frau.

Als niemand den Herrn hereinließ, stieß dieser noch-
mals grimmig gegen die Tür [135] und schimpfte seine
Frau aus.

Schneller als ein Pferd im Paßgang rannte sie zur Tür
und sagte: »Bei meinem Leben, ich konnte nicht
früher kommen; [140] ich war mit einer Arbeit be-

daz enmoht ich dar ûz gewerfen niht.
sage an, wirret dir iht,
daz du sô vruo komen bist?
waz meinet, daz dir zorn ist?'
145 unz diu rede wart vernomen,
dô was der kneht umbe *komen*
und began ze dem tore ingân,
dâ er si ensamt sach stân.
dô sprach der meister wider in:
150 'welich tîvel het dich hiute hin,
daz du niht quæme hin wider?
du leist daz werc vaste nider!'
dô mahte er ein mære
und sagete, daz er wære
155 vil wundern unmüezic sît.
dô lie der meister den strît.
er was biderbe, der kneht;
dâ von was des meisters reht,
daz er einen kleinen zorn
160 vil schiere hete verkorn.
    'vart enwec!' sprach daz wîp,
'und enspart rinder noch den lîp
und bringet holzes genuoc,
daz ir hin ze sumere den pfluoc
165 niht ensûmet durch die holzvart!
ir habet iuch übele bewart,
daz *ir* iuch alsô sûmen solt;
unz *ir* zwei vuoder noch geholt,
sô ist ez, weizgot, vinster naht.
170 dâ von gâhet über maht!
ir tuot uns anders grôzen schaden.'
si half den wagen selbe entladen
und sprach: 'lât iu wesen gâch,
ir habet iuch versûmet nâch!'
175    dô sprach der kneht dem meister zuo:
'ez ist benamen noch zevruo,

schäftigt, die ich nicht einfach beiseite legen konnte.
Sag, fehlt dir was, daß du so früh zurückgekommen
bist? Was soll denn dein Zorn?«

[145] Während dieser Rede war der Knecht ums Haus
gegangen und kam nun zum Tor herein, wo er sie
beieinander stehen sah.

Da sprach der Meister zu ihm: [150] »Welcher Teufel
hat dich denn heute geritten, daß du nicht zurückge-
kommen bist? Du hörst ein bißchen schnell auf zu
arbeiten!«

Da erfand dieser eine Geschichte und sagte, er wäre
[155] inzwischen ganz schön fleißig gewesen. Der
Meister hörte daraufhin auf zu streiten, denn der
Knecht war tüchtig; und deshalb tat der Meister gut
daran, den ohnehin schwachen Zorn [160] schnell zu
vergessen.

»Fahrt wieder los!« trieb die Frau an, »schont weder
die Ochsen noch euch selbst und bringt genügend
Holz herbei, damit ihr wegen der Holzfuhren nicht
das Pflügen des Sommerfeldes verpaßt! [166] Es war
nicht gut von euch, so zu trödeln; bis ihr noch zwei
Fuder geholt habt, ist es, weiß Gott, stockdunkel.
[170] Also Beeilung! Sonst schadet ihr uns sehr.«

Sie half mit, den Wagen abzuladen, und sagte: »Beeilt
euch, ihr habt lange genug getrödelt!«

[175] Da sagte der Knecht zum Meister: »Es ist wahr-
haftig noch Zeit genug, um zwei Fuder zu holen.

daz ich zwei vuoder gehol.
herre meister, tuot sô wol
und lât uns ein wênic ezzen!
180  mich *hât* der hunger sô besezzen,
daz ich den lîp niht kan bewarn,
sol ich sô hin ze holze varn,
daz ich des ezzens enbir.
ezzet ein wênic mit mir!
185  swes ir dar nâch an mich gert,
des sît ir gar von mir gewert.
und ist, daz des niht geschiht,
sô geniezet ir mîn nimmer niht.'
der meister sprach: 'daz sî getân,
190  wir suln entriuwen ezzen gân!
swie lützel ich gezzen mac,
ich æze ê allen disen tac,
ê ich dich von hunger verlür.'
dô giengen si in dâ ze der tür,
195  daz gie dem wîbe an den lîp.
ez müet ein ieclich wîp,
diu einen zuoman hât,
ob man in bî ir begât.
unz si die hende heten gedwagen,
200  dô het si ûf den tisch getragen
brôt, kæse und ein tuoch.
si tet in tougen manigen vluoch,
doch sprach si: 'ezzet vaste!'
über zwô und drîzic raste
205  wæren si ir lieber beide
denne an ir ougenweide.
der wirt sprach zuo dem knehte:
'dîn vrouwe, diu tuot rehte
hiute allen den tac, sam si dich
210  noch harter vürhte denne mich.
ich weiz wol, hæte ich mir nu
ze ezzen gevodert alsam du,

Herr und Meister, seid so gut und laßt uns noch ein
bißchen essen! [180] Der Hunger hat mich so über-
mannt, daß ich sterben muß, wenn ich ohne zu essen
in den Wald fahren soll. [184] Eßt doch ein wenig mit
mir! Ich tue danach alles für Euch, was Ihr von mir
wollt. Geht es nicht so, dann seid Ihr mich los.«
Der Meister antwortete: »Gut, [190] wir gehen essen!
Ich kriege zwar kaum noch etwas runter, doch lieber
esse ich den ganzen Tag lang, bevor ich dich verliere,
weil du verhungerst.«
Sie traten durch die Tür, [195] das traf die Frau hart.
Es stört jede Frau, wenn man ihren Liebhaber bei ihr
findet. Bis sie die Hände gewaschen hatten, [200]
hatte sie ein Tuch über den Tisch geworfen und Brot
und Käse aufgetragen.
Insgeheim stieß sie viele Flüche aus, doch sprach sie:
»Eßt nur tüchtig!« Lieber hätte sie die beiden zwei-
unddreißig Meilen weggehabt [206] als vor ihren
Augen.
Der Herr sprach zu dem Knecht: »Deine Herrin
verhält sich heute schon den ganzen Tag lang so, als
ob sie vor dir [210] noch mehr Angst hätte als vor mir.
Mir ist ganz klar: hätte ich wie du nach Essen ver-

si wære mir nimmer sô gereht.'
'entriuwen, meister', sprach der kneht,
215 'ich hân nu lange den sin:
mit swem ich her gewesen bin,
daz man mîn nie niht engalt –
wan ze einer zît, dô was der walt
mit loube wol behangen.
220 dô quam ein wolf gegangen
hin under mînes meisters swîn.
diu schulde, diu was niht elliu mîn,
wan ich sîn leider niht ensach,
sô lange, unz mir ein leit geschach,
225 daz er begreif ein wênigez swîn.
daz was rehte als daz värkelîn,
daz dort ûfe lît gebrâten;
ichn kan des niht errâten,
wederz ir grœzer wære.'
230 'sich bezzernt dîniu mære',
sprach der meister wider in.
er gie vrœlîche hin
und nam daz swîn, dâ erz gesach.
der kneht aber dô sprach:
235 'dô der wolf zuo den swînen quam
und ich ir schrîen vernam,
dô quam ich dar geloufen sâ.
dô lâgen breite steine dâ,
der selben wart mir einer,
240 *der* was grœzer noch kleiner
wan als diu vochenze, diu dort stât.
ich enweiz, wer si gemezzen hât;
ich gesach nie niht sô gelich.'
'unser herre got gesegene dich!'
245 sô sprach der meister zehant,
'dîniu mære, diu sint wol bewant.'
er nam die vochenze her abe.
dô sprach der kündige knabe:

langt, sie wäre meinem Wunsch nicht nachgekommen.«

»Wahrhaftig, Meister«, erwiderte der Knecht, [215] »schon lange denke ich folgendes: bei wem ich bisher auch gedient habe, keiner kam je durch mich zu Schaden – nur einmal, als der Wald schön belaubt war. [220] Da fiel ein Wolf die Schweine meines Meisters an. Zwar traf die Schuld nicht nur mich, aber ich habe ihn leider erst gesehen, als das Unglück geschehen war [225] und er ein kleines Schweinchen gerissen hatte. Das sah genauso aus, wie das gebratene Ferkelchen dort oben; ich könnte gar nicht sagen, welches von beiden größer wäre.«

[230] »Deine Geschichten werden ja immer besser«, sagte der Meister zu ihm. Frohgelaunt ging er zu dem Schwein und nahm es sich.

Erneut begann der Knecht: [235] »Als der Wolf zu den Schweinen gekommen war und ich ihr lautes Quieken hörte, rannte ich sofort hin. Dort lagen große Steine, davon ergriff ich einen, [240] der war genauso groß wie der Kuchen dort. Ich weiß gar nicht, wer sie ausgemessen hat; sie sind sich wirklich ungeheuer ähnlich.«

»Unser Herrgott segne dich!« [245] entgegnete darauf der Meister, »deine Geschichten sind ausgezeichnet.« Er holte den Kuchen herunter.

Der schlaue Bursche erzählte weiter: [249] »Als ich

'dô ich den stein genam,
250  ê der wolf von mir quam,
dô warf ich in an daz houbet,
daz er wart sô betoubet,
daz er vil kûme entran
und eine wunden gewan,
255  diu bluote, als ich swern wil,
vil volliclîche alse vil,
ê daz er quæme dannen –
als des metes in der kannen,
die ir dort hinden sehet stên.'
260  dô begunde der meister dar gên
und nam die kannel her vür.
er sprach: 'entriuwen, ich spür
die sælde an dînen mæren wol,
daz ich sie gerne hœren sol;
265  si sint beide guot und reht.'
'entriuwen, meister', sprach der kneht,
'dô ich den wolf alsô traf
und im engienc sîn bestez saf,
dô mohte er lützel vliehen.
270  dô begunde ich im nâchziehen.
dô slouf er in eine veste,
dâ wâren ronen und este
sô vil zesamene geslagen,
daz ich in mêre niht mohte gejagen.
275  dar under leite er sich nider
und sach vil rehte her wider,
als jener pfaffe iezuo siht
– der triuwet ouch genesen niht –,
der dort stecket under der banc.'
280  der meister mit zorne ûf spranc,
er sprach: 'ich bin zewâre
aller dîner mære
vil gar an ein ende komen
und hân vil rehte vernomen,

den Stein ergriffen hatte, warf ich ihn dem Wolf an den Kopf, bevor er fliehen konnte. Er wurde so benommen, daß er kaum wegrennen konnte, [254] und er empfing eine Wunde, bevor er entkam, die blutete – bei meinem Eid! – mehr als genug, so viel, wie Met in der Kanne ist, die Ihr dort hinten stehen seht.«

[260] Der Meister ging dahin und holte die Kanne hervor. Er sagte: »Wahrhaftig, ich merke schon, deine Geschichten bringen Glück, ich möchte sie gerne weiter hören, [265] sie sind schön und gut.«

»Ihr könnt mir glauben, Meister«, antwortete der Knecht, »als ich den Wolf so gut getroffen hatte, daß ihm sein bester Saft ausfloß, konnte er nicht mehr fliehen. [270] Ich verfolgte ihn. Er schlüpfte in einen Verhau, da lagen so viele Baumstümpfe und Äste übereinander, daß ich ihn nicht mehr fassen konnte. [275] Er legte sich darunter und sah ganz genauso herüber wie jener Pfaffe jetzt, der dort unter der Bank steckt und auch glaubt, daß es um ihn geschehen ist.«

[280] Da sprang der Meister zornig auf und rief: »Jetzt hab ich endlich deine Geschichte ganz begriffen und

285 wes mich dîn vrouwe ûzjaget
    ze allen zîten ez taget.'
        der pfaffe wart gebunden
    sô sêre in kurzen stunden,
    unz er dem wirte gehiez
290 – daz er vil kûme wâr geliez –
    sînes guotes alsô vil,
    daz im wære ein kindes spil,
    hæte er daz wîp nie gesehen.
    er muose des ze sælden jehen,
295 daz er schaden an dem guote nam,
    daz er mit dem lîbe dannen quam.
    daz wîp, diu wart ouch geslagen,
    daz si den lîp mohte klagen
    von schulden über manigen tac.
300 swie wol si sît des wirtes pflac,
    er wart ir dar nâch niemer mê
    sô rehte holt, als er was ê.
    der kneht was dem meister liep,
    daz er im zeicte sînen diep
305 sô gevuoge âne bœsiu mære.
        ez wære ein michel swære,
    hæte er imz anders geseit.
    der vriuntlîche kündikeit
    mit rehter vuoge kan begân,
310 der hât dar an niht missetân.
    kündikeit hât grôzen sin.
    er erwirbet valschen gewin,
    der si mit valsche zeiget,
    der hât sîn lop geveiget.
315 der dâ vriuntlîche wirbet mite,
    daz ist ein hövischlîcher site.
    man mac mit kündikeit begân,
    daz vil hövischlîche ist getân.
        daz merket bî dem knehte!
320 hæte er gesprochen rehte:

weiß, [285] warum mich deine Herrin immer aus dem
Haus jagt, wenn es Tag wird.«
Unverzüglich wurde der Pfaffe gefesselt, und zwar so
schmerzhaft, bis er dem Herrn [290] – was er kaum
wahrmachen konnte – so viel von seinem Besitz
versprach, daß es ihm weitaus lieber gewesen wäre,
er hätte die Frau nie gesehen. Er hatte noch Glück,
[295] daß er nur an seinem Besitz Schaden nahm und
mit dem Leben davonkam.
Die Frau wurde so heftig verprügelt, daß sie allen
Grund hatte, noch tagelang zu jammern. [300] Sie
konnte sich seitdem um ihren Herrn kümmern, so-
viel sie wollte, er hatte sie nie mehr so gern wie
früher. Den Knecht schätzte der Herr, weil er ihm
den Dieb [305] so klug und ohne, daß üble Nachrede
entstehen konnte, überführt hatte.
Es hätte ziemliche Komplikationen gegeben, wenn er
es ihm in anderer Form gesagt hätte. Wer seinen
Verstand einfühlsam und recht geschickt einsetzt,
[310] der verhält sich richtig. Klugheit ist etwas sehr
Sinnvolles. Sie falsch einzusetzen, hat keinen Wert,
und man verspielt dabei sein Renommee. [315] Wer
jedoch einfühlsam damit umgeht, verhält sich wie bei
Hofe. Mit Klugheit kann man eine Lebensart errei-
chen, die bei Hofe üblich ist.
Dies sollt ihr von dem Knecht lernen! [320] Hätte er

'der pfaffe minnet iuwer wîp,
als tuot si sêre sînen lîp',
daz hæte der meister niht verswigen
und hæte sis zehant gezigen;
325 und hæte si ouch lîhte geslagen.
sô begunde ouch sis dem pfaffen sagen;
sô schüefen lîhte ir sinne,
daz der wirt ir zweier minne
nimmer rehte ervüere
330 und ze jungest wol geswüere,
der kneht hæte in betrogen
und hæte die vrouwen ane gelogen
durch sînen bœsen haz,
und würde im umbe daz gehaz.
335 daz was allez hingeleit
mit einer gevüegen kündikeit.
des enhazze ich kündikeit niht,
dâ si mit vuoge noch geschiht.

### 16

Ein ritter quam an eine vart
sô verre, daz er gast wart
eines wirtes, der in wol enpfienc.
ich sage iu, wie daz ergienc:
5 er het in niemêr gesehen
und hôrte im grôzer wirde jehen,
des bôt er imz deste baz.
der gast was kalt unde naz,
dâ von was er des wirtes vrô.
10 ouch was der wirt des gastes sô,
daz liez er in wol schouwen:
sîne tohter und sîne vrouwen
hiez er in küssen zehant.

gerade heraus gesagt: »Der Pfaffe liebt Eure Frau und
sie ihn auch nicht wenig«, dann hätte der Meister
nicht den Mund gehalten und es ihr auf der Stelle
vorgeworfen; [325] und leicht hätte er sie auch verprü-
gelt. Daraufhin hätte sie es dem Pfaffen erzählt, und
ihr listiger Verstand hätte es wohl leicht fertig ge-
bracht, daß der Herr ihr Verhältnis nie recht kennen-
gelernt [330] und am Ende noch geschworen hätte,
der Knecht hätte ihn belogen und die Frau ange-
schwärzt, weil er sie haßte. Dann wäre er wütend auf
ihn geworden. [335] Dies war nun alles durch ver-
nünftige Klugheit vermieden.
Ich verachte die Klugheit nicht, wenn sie vernünftig
angewandt wird.

# 16
## Der nackte Ritter

Ein Ritter reiste in die Ferne und wurde bei einem
Burgherrn sehr freundlich als Gast aufgenommen.
Ich erzähle euch, was da geschah:
[5] Der Herr hatte den Ritter noch nie zuvor gesehen,
doch hatte er von seinem guten Ruf gehört, und
deshalb bewirtete er ihn um so höflicher. Der Gast
fror und war durchnäßt, und daher war er froh, einen
solchen Wirt gefunden zu haben. [10] Auch dieser
freute sich über seinen Gast, das ließ er ihn auf eine
hübsche Art spüren: er hieß seine Töchter und seine
Frau, ihn zum Empfang zu küssen. Der Koch wurde

der koch wart sêre gemant
15  umbe guote spîse ze der naht.
nu wart ein schœne viuwer gemaht,
dâ sâzen si in der stuben bî.
    er het schœner tohter drî,
die satzten den gast under sich
20  und wurden alsô vrœlich
ze liebe dem gaste.
und bran daz viuwer vaste.
    dô ez guot wîle alsô bran,
seht, wâ diu hitze gewan
25  in der stuben oberhant,
sô daz diu kelte verswant.
des wart in allen sô heiz,
daz in vor hitze der sweiz
von dem houbete nider ran.
30  dô tet der wirt als ein man,
der dâ heime wil gemach hân.
er hiez einen kneht dar gân
und ziehen sînen roc im abe.
'ichn wil niht, daz iemen hie habe
35  nahtlanc ungemach';
ze dem gaste er ouch sprach:
'lât abe ziehen iu den roc,
ir habet niender einen loc,
sine hangen alle sweizes vol!'
40  dô sprach der gast: 'daz tuot mir wol,
ich wil doch den roc ane hân.'
'ir sult in abe ziehen lân',
sprach der wirt, 'weizgot,
ez ist mîn bete und mîn gebot,
45  daz ir hie habet guoten gemach.'
der gast zuo dem wirte sprach:
'als rehte liep ich iu sî
und iuwer tohter alle drî,
sô erlât mich dirre unzuht!

eindringlich gebeten, [15] ein gutes Abendessen zuzubereiten. Nun wurde ein schönes Feuer in der Stube angezündet, an das sie sich setzten.

Der Herr hatte drei schöne Töchter, die den Gast zwischen sich setzten [20] und ihm zuliebe heiter plauderten.

Das Feuer loderte heftig. Als es eine gute Weile so gebrannt hatte, seht, da errang die Hitze in der Stube den Sieg, [26] und die Kälte zog sich zurück. Es wurde ihnen allen dermaßen heiß, daß ihnen der Schweiß von der Stirn herunterrann.

[30] Da verhielt sich der Wirt wie jemand, der es zu Hause bequem haben möchte. Er befahl einem Diener, ihm seinen Überrock auszuziehen.

[34] »Ich möchte nicht, daß wir es hier die Nacht hindurch ungemütlich haben«, sprach er zu seinem Gast; und außerdem: »Laßt Euch doch den Überrock abnehmen, alle Eure Locken hängen voller Schweiß!«

[40] Der Gast antwortete jedoch: »Das bekommt mir gut, ich möchte das Obergewand lieber anlassen.«

»Laßt es Euch ruhig ausziehen«, erwiderte der Herr des Hauses, »weiß Gott, es ist mein stärkster Wunsch, [45] daß Ihr es hier schön gemütlich habt.«

Der Gast antwortete dem Herrn: »Wenn Ihr und Eure drei Töchter mich mögt, dann erspart mir diese

50 ich læge gerner eine suht,
   denne ich den roc abe tæte,
   obe ich noch heizer hæte.'
   der wirt sprach: 'nu lât den strît!
   ich weiz wol, daz ir hövisch sît.

55 sô læge ich zwô sühte,
   ê ich iuch iuwer zühte
   sô sêre lieze engelten.
   ir soldet mich darumbe schelten,
   lieze ich iuch hie haben ungemach.'

60 heimlîche er zuo den knehten sprach,
   daz si alle dar giengen
   und im den roc geviengen
   und zuhten im in überz houbet.
   dâ wart der gast beroubet

65 durch die grôzen minne
   der êren und der sinne:
   er saz, dô er wart âne roc,
   als ein beschelter stoc –
   âne bruoch und âne hemede,

70 diu wâren im beidiu vremede.
   als in dô die vrouwen
   sô blôz begunden schouwen,
   dô erkômen si vil sêre.
   der gast erschrac noch mêre,

75 wan ez hete der selbe gast
   der hövischeite last
   getragen her vil manigen tac.
   der wirt vor schanden ouch erschrac,
   sus erschrâkens alle sêre.

80 der gast entrouwete es, an sîn êre
   nimmer wider komen mê.
   im tet diu schande sô wê,
   daz er den wirt hæte erslagen,
   trouwete er, daz in getragen

85 daz ros dannen möhte hân –

Unhöflichkeit! [50] Ich läge lieber krank darnieder als
dieses Gewand auszuziehen, selbst wenn ich noch
mehr schwitzen würde.«

Der Hausherr entgegnete: »Nun hört schon auf zu
widersprechen! Ich weiß ja, daß Ihr bei Hofe erzogen
seid. [55] Doch ich läge lieber mit zwei Krankheiten
darnieder, als Euch für Eure Erziehung so sehr bü-
ßen zu lassen. Ihr solltet mich ausschimpfen, wenn
ich Euch nicht aufforderte, es sich hier bequem zu
machen.«

[60] Heimlich befahl er den Dienern, zu ihm zu
gehen, sein Obergewand zu ergreifen und es ihm
über den Kopf zu ziehen. Doch dieser große Liebes-
dienst raubte dem Gast [66] Ehre und Verstand: ohne
Überrock saß er da wie ein geschälter Stock – ohne
Unterhose und ohne Untergewand, [70] denn beide
fehlten ihm.

Als die Damen ihn so nackt sahen, da durchfuhr sie
ein heftiger Schreck. Noch mehr erschrak der Gast,
[75] denn er war lange Zeit bis jetzt der Inbegriff der
höfischen Kultiviertheit gewesen.

Auch der Hausherr war entsetzt über diese Schande,
und so erschraken alle miteinander gewaltig.

[80] Der Gast glaubte nicht daran, jemals wieder zu
Ehren kommen zu können. Die Schmach schmerzte
ihn dermaßen, daß er den Burgherrn erschlagen hät-
te, hätte er nur annehmen können, daß ihn sein Pferd

des enhæte ez aber niht getân.
er zôch den roc wider an
und schiet sô zornlîche dan,
daz er dem wirte nimmer mê
90   sô holt wart, als er was ê.
dâ mane ich alle wirte bî:
swaz liebes gastes wille sî,
dâ vlîze sich ein wirt zuo,
daz er dar über niht entuo.
95   ob er im dienest unde guot
wider des gastes willen tuot,
daz ist vil lîhte gar verlorn;
des wære ez bezzer verborn.
swelch dienest niht ze danke kumt,
100  der schadet noch mêre denne er vrumt.


## 17

Ein ritter tugende rîche
nam ein wîp êlîche.
dô wolde si ir willen hân
und des sînen niht began.
5   daz mohte er niht erlîden
und hiez siz gar vermîden.
dô si durch slege noch durch bete
deste baz noch deste rehter tete,
dô dröuwete er ir sêre –
10  dô dröuwete si im noch mêre.
er sluoc ir einen voustslac,
er sprach: 'nu ist mir umbe den sac
als mære sam umbe daz sacbant!'
er brach ir abe ir gewant,
15  einen swæren knütel er gevie.
sînen zorn er si enpfinden lie,

schnell genug fortgetragen hätte – [86] dem wäre aber
nicht so gewesen. Er legte den Überrock wieder an
und ging so wütend weg, daß ihm der Burgherr nie
mehr [90] so zugetan war wie zuvor.

Mit dieser Erzählung ermahne ich alle Gastgeber: ein
Gastgeber soll dem Wunsch eines Gastes, den er
schätzt, nachkommen, aber nichts darüber hinaus
veranlassen. [95] Bietet er seinem Gast Dienste und
Annehmlichkeiten gegen dessen Willen an, so könnte
dies leicht ins Auge gehen; deshalb läßt man es
besser.

Ein Dienst, der nicht dankbar angenommen wird,
[100] schadet mehr als er nützt.


# 17

## Die eingemauerte Frau

Ein Ritter, reich an Tugenden, war mit einer Frau
verheiratet, die stets ihren Willen durchsetzen, seinen
aber nicht erfüllen wollte. [5] Das mochte er nicht
ertragen und befahl ihr, dieses Verhalten zu än-
dern.

Als sie sich weder durch Schläge noch durch Bitten
besserte oder sich angemessen verhielt, drohte er ihr
heftig – [10] doch sie drohte ihm noch stärker.

Er schlug sie mit der Faust und sprach: »Der Sack ist
mir genauso egal wie die Sackschnur!«

Er riß ihr das Kleid herunter [15] und griff nach einem
schweren Knüppel. Seinen Zorn ließ er sie spüren

er sluoc ein lange wîle
mit kreften und mit île,
unz im der arm tet sô wê,
20  daz er niht slahen mohte mê
und ir ein sîte alsô zebrach,
daz man niht anders dâ ensach
wan zebrochen hût und bluot.
er sprach: 'woldet ir noch wesen guot!'
25  si sprach: 'wie wære mir des sô gâch,
weizgot, ez ist vil unnâch!
ir müezet noch langer bîten,
nu bin ich doch ze drîn sîten
noch ungerüeret und ungeslagen.'
30  er sprach: 'sô wil ich gote klagen,
daz mir diu tumpheit ie geschach,
daz ich mîn zuht an iu zebrach.'
si sprach: 'ir habet iuch selbe erslagen,
ich sterbe danne in kurzen tagen.'
35  si gehiez im ungevüegen schaden.
dô hiez er mûren ein gaden,
daz wart gemachet âne tür;
ein venster kêrte er her vür.
dâ wart si inne vermûret.
40  er sprach: 'sît iu sûret
diu vriuntschaft und der dienest mîn,
sô sult ir âne mich sîn.
sô muget ir deste baz genesen,
ir sult mîn vrœlîche entwesen.
45  sît ir mir traget sô grôzen haz,
sô ist uns beiden deste baz,
ez ist uns guot vür zornes nôt.'
daz aller swerzeste brôt,
daz er geleisten kunde,
50  daz man warf vür sîne hunde,
des muose man ir dar in geben.
si muose der bœsesten spîse leben,

und schlug lange Zeit kräftig und schnell auf sie ein,
bis ihm der Arm so weh tat, [20] daß er nicht mehr
prügeln mochte und ihre eine Seite so zertrümmert
war, daß man nur noch Hautfetzen und Blut sah.
Er sagte: »Wolltet Ihr nur gut zu mir sein!«
[25] Sie erwiderte: »Warum diese Eile, ich bin, weiß
Gott, noch weit davon entfernt! Ihr müßt schon
noch ein bißchen warten, wurde ich doch auf drei
Seiten weder berührt noch geschlagen.«
[30] Er antwortete: »So will ich vor Gott Klage
führen, daß ich so töricht war, mich Euretwegen zu
vergessen.«
Sie schließlich: »Ihr erschlagt Euch selbst, es sei denn,
ich sterbe bald.« [35] Sie drohte ihm mächtig.
Da ließ er einen Raum ohne Türe mauern; nur ein
Fenster wurde ausgespart.
Sie wurde eingemauert. [40] Er sprach: »Da es Euch
so schwerfällt, freundlich zu mir zu sein und mir zu
dienen, so sollt Ihr ohne mich leben. Auf diese Weise
werdet Ihr Euch besser fühlen, [44] Ihr sollt fröhlich
sein ohne mich. Dies ist für uns beide besser, da Ihr
mich so sehr haßt; es hilft uns gegen den Zorn.«
Man durfte ihr nur das allerschwärzeste Brot reichen,
das er hatte und das man sonst seinen Hunden vor-
warf. [52] Sie mußte vom schlechtesten Essen leben,

diu dâ ze hûse was bereit.
er tet ir noch ein græzer leit:
55  er sweic vil stille, swaz si sprach.
er saz ouch, dâ si in wol sach,
sîne vröude und sîne wirtschaft.
er het der liute grôze kraft,
den liepte er leben unde lîp.
60  er satzte ein minniclîchez wîp
an sîne sîten alle zît.
scharlach unde samît,
daz beste, daz er veile vant,
daz was ir tegelîch gewant.
65  die halsete er unde kuste,
als vil in des geluste,
daz ez diu hûsvrouwe ane sach.
swaz ir dâ leides von geschach,
daz lie der wirt âne nît,
70  er was mit vröuden alle zît,
sîn lop was von der werlde breit.
er schuof mit sîner vrümekeit,
daz er ir mâge niht entsaz.
in tet sîn dienest michels baz,
75  denne in sîn vîntschaft tæte.
dô was der wirt sô stæte,
daz diu vrouwe ein wîle verzagte.
dô si ir vriunden klagte
die vancnusse und die smâcheit
80  und den gebresten, den si leit,
dô sprâchen si: 'wir wizzen wol,
daz ir der übele sît sô vol,
daz er iu niht wan rehte tuot.
ir sît vil übele gemuot,
85  des habet ir lôn enpfangen,
ez ist iu rehte ergangen.'
swelhen vriunt si des übergie,
daz er den wirt bat umbe sie,

das im Hause zubereitet wurde. Er fügte ihr ein noch
härteres Leid zu: [55] Er schwieg zu allem, was sie
sagte. Er ließ sich außerdem dort nieder, wo sie ihn,
seine fröhlichen Unterhaltungen und seine Gelage
gut sehen konnte.

Er hatte viele Untergebene, denen machte er das
Leben angenehm. [60] Eine liebliche Frau setzte er
sich stets zur Seite. Feinste Wollsachen und Samt, das
beste, was es zu kaufen gab, zog sie jeden Tag an. [65]
Er halste und küßte sie, so oft er Lust dazu hatte,
und die Ehefrau mußte es mit ansehen. Der Haus-
herr kümmerte sich nicht darum, wie sehr sie das
schmerzte, [70] er lebte immer in Freuden und alle
Welt sang sein Lob.

Er war klug genug, ihre Verwandten nicht zu ver-
schrecken. Es war für sie günstiger, ihm Dienst zu
leisten, [75] als ihn zum Feind zu haben.

Der Mann war so konsequent, daß die Frau mit der
Zeit kleinlaut wurde. Als sie sich bei ihren Verwand-
ten über die Gefangenschaft, die schmähliche Be-
handlung [80] und den Mangel, den sie litt, beklagte,
antworteten diese nur: »Wir wissen sehr gut, daß Ihr
so voller Bosheit seid und daß er Euch deshalb richtig
behandelt. Ihr seid bösartig, [85] dies ist nun Euer
Lohn, es geschieht Euch ganz recht.«

Überredete sie einen der Verwandten, sich beim
Hausherrn für sie zu verwenden, so antwortete die-

dem antwurte er alsô:
90    'ich bin iuwer rede vil vrô,
ich leiste iuwer bete und iuwern rât.
welt ir mir setzen, swaz ir hât:
ob si ein übel wîp welle sîn,
daz iuwer guot sî allez mîn –
95    sô lâze ich si her ûz gân
und enpfilhe ir allez, daz ich hân.'
'nein ich', sprach er zehant,
'mir ist ir muot wol bekant,
ichn wil ez niht sô sêre wâgen.'
100    sus schuof er mit ir mâgen,
daz si die bete alle liezen.
dô liez er si geniezen:
er bôt in michel êre
und liepte sich in vil sêre
105    mit guote und mit lîbe.
sus schiet er von dem wîbe
ir vriunde alle gemeine,
dô wart si alters eine.

dô wart der vrouwen gesaget,
110    daz alle die wæren gedaget,
die ir dâ helfen solden
und ir niht mê helfen wolden.
dô si vernam den untrôst,
daz si nimmer würde erlôst,
115    dô vuoren die tîvel von dem wege,
die sie heten in ir pflege.
dô quam der heilige geist
und brâhte ir sînen volleist.
ir groziu übel, diu verswant,
120    dô viel ir hôchvart zehant.
ir übel und ir bœser muot,
diu zergiengen; si wart alsô guot,
daz si mit rehten triuwen
ir sünde begunden riuwen.

ser: [90] »Ich freue mich über das, was Ihr gesagt
habt, und komme Eurer Bitte und Eurem Rat gerne
nach. Setzt Ihr Euer Gut dafür ein: alles sei mein,
wenn sie eine bösartige Frau bleibt – [95] andernfalls
lasse ich sie heraus und übergebe ihr meinen ganzen
Besitz.«

»Nein danke«, hieß es dann sofort, »ich kenne ihre
Gedanken sehr gut, ich möchte nichts aufs Spiel
setzen.«

[100] Auf solche Weise brachte er alle ihre Verwand-
ten dazu, das Bitten zu unterlassen. Dafür belohnte
er sie: er erwies ihnen große Ehren und machte sich
bei ihnen mit Schenkungen und persönlichem Ein-
satz sehr beliebt. [106] So trennte er seine Frau von
allen ihren Vertrauten, bis sie ganz alleine war.

Da erzählte man der Frau, [110] daß alle zum Schwei-
gen gebracht waren, die ihr hatten helfen sollen, und
daß ihr niemand mehr beistehen wollte. Als sie diese
traurige Nachricht hörte, daß sie niemals mehr be-
freit würde, [115] da fuhren die Teufel aus ihr, die sie
besessen hatten. Der Heilige Geist kehrte ein und
schenkte ihr seinen Beistand. Ihre maßlose Bosheit
verschwand, [120] ihr Hochmut fiel von ihr ab. Ihre
boshaften und schlechten Gedanken schwanden und
sie wurde so vollkommen, daß sie ehrlich ihre Sün-
den bereute.

125      dô sande si nâch dem pfaffen
         und wolde ir dinc schaffen,
         swenne ir der lîp erstürbe,
         daz diu sêle niht verdürbe.
         zehant dô si den pfaffen ane sah,
130    si kniete vür in unde sprach:
         'ich bin daz sündigeste wîp,
         diu ie gewan wîbes lîp.
         daz riuwet mich vil sêre!
         durch des heiligen geistes êre:
135    nu gebet mir helfe unde rât,
         daz ich umbe mîne missetât
         gegen got alsô gewerbe,
         daz diu sêle iht verderbe!'
         er sprach: 'ichn râte iu anders niht:
140    wan sî iu umbe die sêle iht
         und umbe den êwigen lîp,
         sô werdet ein vil guot wîp!
         iu ist dehein rât sô guot,
         sô daz ir iuch der übele abe tuot,
145    diu iuch beide von gote scheidet
         und iuch allen den erleidet,
         die iu solden gunnen guotes.'
         si sprach: 'des übelen muotes,
         des hât mich nu bekêret got.
150    ich wil allez sîn gebot
         behalten, swâ ich immer kan.
         durch got, nu bittet mînen man,
         daz er mir sîne hulde gebe
         und lâze mich, die wîle ich lebe,
155    hie büezen mîne schulde
         und suochen gotes hulde.
         ich hân weder got noch in gevorht,
         dâ mit hân ich die werlt verworht –
         der wil ich nimmer nâhen komen.
160    mir het der tîvel gar benomen

[125] Daraufhin ließ sie einen Priester rufen, um ihre irdischen Angelegenheiten zu regeln, damit, wenn sie stürbe, die Seele nicht zugrunde ginge. Kaum hatte sie den Priester gesehen, [130] kniete sie vor ihm nieder und sprach: »Ich bin die sündigste Frau, die je auf der Welt gelebt hat. Das bekümmert mich zutiefst! Bei der Ehre des Heiligen Geistes – [135] helft und ratet mir, wie ich trotz meiner Sünden Gott so dienen kann, daß meine Seele nicht zugrunde geht!«

Der Priester antwortete: »Ich rate Euch nur dies: [140] wenn ihr um Euer Seelenheil und um das ewige Leben besorgt seid, dann werdet eine vollkommene Frau! Ihr braucht nur *einen* guten Rat, nämlich den, Euch von der Bosheit loszusagen, [145] die Euch von Gott trennt und auch denen verabscheuenswert macht, die Euch sonst Gutes wünschten.«

Sie erwiderte: »Gott hat mich nun von der Bosheit geheilt. [150] Ich will alle seine Gebote beachten, wo immer ich kann. Bittet nun im Namen Gottes meinen Mann, daß er mir wieder seine Zuneigung schenke und mich auf dieser Welt, solange ich lebe, [155] meine Schuld büßen und Gottes Gnade suchen lasse. Ich hatte weder Gott noch ihn gefürchtet, deshalb habe ich das irdische Leben verwirkt – ich will nicht mehr zu ihm hin. [160] Mir hatte der Teufel Furcht

beide vorht und minne,
wîsheit und rehte sinne.
ichn weiz, wes ich gein got engalt,
daz er dem tîvel den gewalt
165 sô grôzen über mich verlie –
ichn weste dô, waz ich begie.
ich kan mich des nu wol verstân,
daz ich wirs denne übel hân getân –
des bin ich mir selber immer gram.
170 daz mir mîn man den lîp niht nam,
dâ hât er baz ze mir getân,
denne ich umbe in gedienet hân.
ich stên in iuwerm gebote:
als ir antwurten wellet gote,
175 alsô tuot mir iuwer triuwe schîn
und lât mich iu bevolhen sîn.'
      dô gie der pfaffe zehant,
dâ er den wirt eine vant,
er sprach: 'nu tuot, des ich iuch bite,
180 dâ gewinnet ir gotes hulde mite:
swaz iu mîn vrouwe habe getân,
des lât si iuwer hulde hân;
si tuot niht nâch dirre vrist,
wan allez, daz iu liep ist.
185 welt ir des niht gelouben ir,
sô wil ichz nemen her ze mir.
si riuwent sêre ir schulde,
si suochet iuwer hulde.
daz tuot si niht umbe daz,
190 daz ir irz bietet deste baz,
si tuot ez durch der sêle heil.
ir habet ûf si ein michel teil
gezürnet, desn tuot niht mê!
ob iuwer muot ze gote stê
195 und ze dem êwigen lîbe,
daz erzeiget an iuwerm wîbe.'

und Liebe, Weisheit und Verstand genommen. Ich
weiß nicht, was ich vor Gott verschuldet habe, daß er
dem Teufel eine so große Macht [165] über mich
verlieh – ich wußte nicht, was ich tat. Jetzt weiß ich
wohl, daß ich mich mehr als boshaft verhalten habe –
[169] deshalb werde ich mich ewig über mich ärgern.
Mein Mann hat mich besser behandelt als ich ihn,
weil er mir nicht das Leben nahm. Ich stehe unter
Eurem Gebot: Wenn Ihr Gott Rechenschaft gebt,
[175] dann beweist mir Euer Gelübde dadurch, daß
Ihr mich in Eure Fürbitte einschließt.«
Da eilte der Priester zum Hausherrn, der alleine war,
und sprach: »Nun erfüllt mir eine Bitte, [180] damit
gewinnt Ihr Gottes Gnade: verzeiht meiner Herrin
alles, was sie Euch angetan hat; in Zukunft tut sie nur
noch, was Euch gefällt. [185] Wollt Ihr es ihr nicht
selbst glauben, dann nehme ich es auf meine Kappe.
Ihre Schuld bedrückt sie sehr, sie sucht Eure Zunei-
gung – und zwar nicht deshalb, [190] damit Ihr ihr das
Leben angenehmer macht, sondern wegen ihres See-
lenheils. Ihr habt ihr sehr gezürnt, tut es nicht mehr!
Zeigt in der Art, wie Ihr Euch Eurer Frau gegenüber
verhaltet, daß Eure Gedanken auf Gott und das
ewige Leben gerichtet sind.«

dô sprach der wirt: 'nu gê wir dar,
daz ich die wârheit ervar!
ist si guoter handelunge wert,
200 der ist si schiere von mir gewert.'
    si giengen an daz venster hin.
dô stuont diu vrouwe gegen in
ûf ir knie unde sprach:
'daz ich ie mîn reht gein iu zebrach,
205 daz ist mir ein leit vür elliu leit.
mir hât mîn unsælikeit
got und die werlt und iuch verlorn.
durch got, nu lât iuwern zorn –
got hilfet uns beiden deste baz.
210 ich hân bejaget gotes haz,
den sol ich immer lîden;
mich solde der tac vermîden,
wan daz got bezzer ist denne ich.
nu erbarmet iuch, herre, über mich
215 und vergebet mir, daz iu got vergebe,
und lâzet mich, die wîle ich lebe,
hie suochen gotes hulde
umbe unser beider schulde.'
    diu rede geviel dem wirte wol,
220 sîn herze, daz wart vröuden vol,
daz lie er balde schînen.
nâch ir vriunden und nâch den sînen
sander, daz si dar gâhten
und ir vrouwen mit in brâhten.
225    dô si dar quâmen alle
mit vröuden und mit schalle,
er enpfienc si vrœlîche unde sprach:
'daz ich an der hûsvrouwen rach,
des hât si got bekêret.
230 swer si nu dar umbe êret,
der hât mich immer gewunnen.
alle, die mir guotes gunnen,

[197] Der Mann erwiderte: »Gehen wir zu ihr, um die Wahrheit zu sehen! Verdient sie eine gute Behandlung, [200] so wird sie diese von mir sofort erhalten.«

Sie gingen zum Fenster hin. Da kniete die Dame vor ihm nieder und sprach: »Ich bedaure über alle Maßen, daß ich Euch gegenüber nicht meine Stellung als Ehefrau, die mir das Recht zuweist, beachtet habe. [206] Mein unseliges Benehmen hat mich um Gott, die Welt und Euch gebracht. Laßt um Gottes willen Eure Wut, dann wird Gott uns beiden um so eher helfen. [210] Ich habe den Zorn Gottes verdient, und ich werde ihn allezeit ertragen müssen; das Leben sollte mich fliehen, aber Gott ist besser als ich. Erbarmt Euch, Herr, über mich [215] und vergebt mir, damit Euch Gott vergibt, und laßt mich, um unser beider Schuld willen, den Rest meines Lebens Gottes Gnade suchen.«

Diese Rede gefiel dem Herrn gut, [220] sein Herz erfüllte sich mit Freude, und dies zeigte er bald. Er schickte nach ihren und nach seinen Verwandten, sie sollten herbeieilen und ihre Frauen mitbringen. [225] Als sie alle fröhlich lärmend angekommen waren, empfing er sie freudig und sagte: »Die Rache an meiner Frau hat dazu geführt, daß Gott sie bekehrt hat. [230] Wer sie aus diesem Grund in Zukunft ehrt, der ist mein Freund. Wer mir Gutes wünscht, soll

die suln sich vröuwen mit mir –
ich wil mich süenen mit ir.'
235    si erbiten kûme, unz daz geschach,
daz man die mûre ûfbrach.
dô hiez man si her ûz gân.
des hiez si sich durch got erlân
und satzte sich der wider gar.
240    dô gienc der pfarrære dar
und bôt ir bî der gehôrsame,
als liep ir wære kristen name,
daz si gehôrsam wære ir man,
dâ tæte si gotes willen an.
245    daz wart ir von der wârheit
sô lange und alsô vil geseit,
daz si ze jungest gie her vür.
dâ bat er si, daz si verkür,
swaz er ir leides ie getete.
250    daz was ouch aller der bete,
die durch si wâren dar komen.
dô diu bete wart vernomen,
si sprach: 'swaz ir mir leides habet getân,
des müezet ir gerne hulde hân –
255    ir sît unschuldic wider mich,
diu schuldige, leider daz bin ich.
ich solde nimmer sîn genesen,
ich wære wol tôdes wert gewesen,
des lât mich gote ze buoze stân.
260    welt ir mich niht dar inne lân,
daz ich gestille gotes haz,
sô erloubet mir doch hie ûze daz,
daz ich got dâ mit êre
und übeliu wîp bekêre –
265    daz kan ich nu wol geschaffen.'
beide leien unde pfaffen,
die vielen ir ze vuoze,
daz si die selben buoze

sich mit mir freuen – ich möchte mich mit ihr versöhnen.«

[235] Sie konnten kaum erwarten, bis man die Mauer aufbrach. Man sagte der Frau, sie möge herauskommen, doch sie verbat sich dies im Namen Gottes und widersetzte sich heftig. [240] Da ging der Pfarrer zu ihr hin und gebot ihr bei der Gehorsamspflicht und im Hinblick auf ihre Lebensform als Christin, ihrem Mann gehorsam zu sein, damit erfülle sie den Willen Gottes.

[245] Dies wurde so lange und so oft bekräftigt, daß sie schließlich hervorkam. Da bat sie der Mann, ihm alles Leid zu verzeihen, das er ihr angetan hatte. [250] Alle, die um ihretwillen hergekommen waren, schlossen sich dieser Bitte an.

Nachdem sie die Bitte gehört hatte, sagte sie: »Das Leid, das ihr mir angetan habt, kann ich freudig verzeihen – [255] ihr tragt keine Schuld mir gegenüber, die Schuldige bin leider ich. Ich hätte nicht am Leben bleiben dürfen, ich hätte wohl den Tod verdient, deshalb laßt mich vor Gott Buße tun. [260] Wenn ihr mich schon nicht hier drinnen lassen wollt, um den Zorn Gottes zu besänftigen, dann erlaubt mir draußen wenigstens, Gott damit zu dienen, böse Frauen zu bekehren – [265] das kann ich ja nun wohl.«

Alle fielen ihr zu Füßen und baten sie, diese Buße

behielte durch den rîchen got.
270 si sprach: 'sô wizzet âne spot,
ich kan von übelen wîben
ir übel wol vertrîben.
ich weiz wol, wie ir dinc stât!
swer ein übel wîp hât,
275 deiswâr, enpfilhet er si mir,
ich gevröuwe in wærlîche an ir.
ich mache si der übele sat,
ich setze si an mîne stat;
dâ hât mir got sô wol gevrumt.
280 ich weiz wol, swelhiu dar kumt,
diu wirt dâ alsô rehte guot,
daz si vil gerne rehte tuot.'
    daz begunde den rittern allen
ze wunsche wol gevallen,
285 si sprâchen: 'ir sît ein heilic wîp!
daz got iuwer sêle und iuwern lîp
vil lange ensamt lâze sîn!'
sumelîche sprâchen: 'mir hât diu mîn
sô vil ze leide getân,
290 si muoz ouch lîhte hie bestân,
daz ir mirs guot machet.'
des wart dâ vil gelachet
von rittern und von vrouwen.
die lie der wirt wol schouwen,
295 daz er hôhzît haben wolde.
swaz er dar zuo haben solde,
wirtschaft, vröude unde spil,
des was dâ mêr denne vil –
dâ êrte er sîne vrouwen mite.
300     alle die tugentliche site,
die man an einer vrouwen lîbe
und an einem biderben wîbe
ze grôzen sælden loben sol,
des was diu hûsvrouwe vol.

um des allmächtigen Gottes willen auf sich zu neh-
men.

[270] Sie antwortete: »So wißt, ich kann den bösen
Frauen ihre Bosheit schon austreiben. Ich kenne sie
doch genau! Bei Gott, jeder, der eine boshafte Frau
hat, [275] vertraue sie mir an, ich werde dafür sorgen,
daß er wieder Freude an ihr bekommt. Ich verleide
ihr die Bosheit und bringe sie dahin, wo ich stehe;
dazu hat mir Gott verholfen. [280] Ich bin sicher, daß
jede, die zu mir kommt, so vollkommen wird, daß
sie freiwillig immer das Richtige tut.«

Dies gefiel all den Rittern über die Maßen, [285] und
sie sagten: »Ihr seid eine heilige Frau! Gott möge
Euch Leib und Seele noch recht lange beieinander
lassen!«

Einige meinten: »Die meine hat mir so viel Leid
angetan, [290] sie müßte hier behandelt werden, damit
Ihr mir sie vollkommen macht.«

Darüber lachten die Ritter und die Damen nicht
wenig. Ihnen zeigte der Herr nun, [295] daß er ein
Fest veranstalten wollte. Mehr als genug war von
allem da, was man dazu braucht: Bewirtung, fröhli-
che Unterhaltung und Spiele – alles zur Ehre seiner
Frau.

[300] Die Frau besaß all jene Sittsamkeit in Fülle, die
eine Dame und eine unbescholtene Frau für ihr See-

305 si begunde den liuten allen
sô gerlîche wol gevallen,
daz si des alle jâhen,
die si hôrten und sâhen:
'got hât ir michel êre',
310 diu werlt wære vil sêre
mit ir tugenden gekrœnet,
wol gezieret und geschœnet.
    diu hôhzît werte siben tage,
dannoch was maniges klage,
315 daz si niht langer solde wern.
dô si urloubes wolden gern,
dô stuont diu vrouwe ûf eine banc,
si sprach: 'nu saget dem wirte danc,
daz er sich hât erbarmet über mich
320 und daz er got und ouch sich
sô sêre an mir geêret hât,
und ich sô grôze missetât
wider in begangen hân –
und hæte im gerne mêr getân,
325 wan daz er mirz understuont,
als die wîsen und die biderben tuont.
swie sêre ich von im geêret bin,
sô bin ich doch schuldic wider in.
swaz er mich nu getriutet
330 und swaz er mir êre biutet,
deste grœzer ist mîn riuwe,
daz ich sô grôze untriuwe
wider got und wider in begie.
nu zeiget mich der werlde hie
335 und machet mîn buoze erkant
allenthalben in diu lant
und saget daz wærlîche:
er sî arm ode rîche,
der mir sîn übel wîp bringet,
340 ir swære wirt geringet.

lenheil braucht. [305] Sie gefiel allen Menschen, die
mit ihr sprachen und sie sahen, so ausnehmend gut,
daß sie alle meinten: »Sie ist eine große Ehre für
Gott« – [310] und die Welt wäre in hohem Maße
durch ihre Tugenden ausgezeichnet, herrlich ge-
schmückt und verschönt.

Das Fest dauerte sieben Tage, und dennoch beklag-
ten viele, [315] daß es nicht länger dauerte. Als man
Abschied nahm, stieg die Herrin auf eine Bank und
sprach: »Danket dem Herrn, daß er sich meiner
erbarmt hat [320] und durch sein Verhalten mir gegen-
über Gott ebenso wie sich geehrt hat, obwohl ich
gegen ihn so sehr gesündigt habe – mehr noch hätte
ich gerne gesündigt, [325] wenn er mich nicht, wie die
klugen und unbescholtenen Männer es tun, daran
gehindert hätte. Zwar ehrt er mich nun sehr, aber ich
bleibe doch in seiner Schuld. Seine Liebe [330] und
seine Verehrung vertiefen meinen Kummer, daß ich
gegen Gott und ihn so treulos war. Nun erzählt den
Menschen von mir [335] und berichtet in allen Län-
dern und an allen Orten von meiner Buße und ver-
kündet: Wer er auch sei, arm oder reich, er bringe
mir seine böse Frau [340] und ihr Leiden wird gelin-

ich benime ir ir ungüete
unde ringe ir ir gemüete,
daz si gote und im rehte wirt
und alle unvuoge verbirt.'

345     des wunschten si ir alle guotes,
daz got ir reinen muotes
ir sêle lieze geniezen.
vil sêre si ir daz gehiezen,
si woldenz nimmer verdagen

350   und woldenz allenthalben sagen.
ouch sprâchen die pfaffen:
'wir wellenz alsô schaffen:
swem sîn wîp leidet daz leben,
dem welle wirz vür sîn sünde geben,

355   daz er si bringe dâ her,
daz in got der sælden gewer,
daz si guot und rehte sinne
und wîsheit hie gewinne.'

       ditz wart ein lantmære:

360   daz diu vrouwe gewesen wære
daz aller wirseste wîp,
diu ie gewan wîbes lîp,
und wære nu diu beste,
die man lebende weste;

365   und hæte sich des ûz getân,
daz ir got den gewalt hæte verlân,
swelch übel wîp ir quæme,
daz si der ir übel næme.

       dô diu vil rehte wârheit

370   von dem gadem wart geseit,
dâ diu vrouwe inne gewesen was,
mit welher nœte si dâ genas,
und swelhiu noch quæme dar in,
diu hæte den selben ungewin,

375   dô gedâhte ein ieslich übel wîp:
'ich hæte verlorn mînen lîp,

dert. Ich nehme ihr ihre Hartherzigkeit und mache
sie sanftmütig, damit sie Gott und ihm gefällig wird
und alle Bosheiten läßt.«

[345] Sie wünschten ihr dazu alles Gute; Gott solle
sich ihres keuschen Sinnes und ihrer Seele erfreuen.
Sie versprachen ihr, ihre Worte und Taten nicht zu
verschweigen [350] und sie überall zu verkünden. Die
Priester fügten hinzu: »Wir werden es folgender-
maßen einrichten: Jedem, dem seine Frau das Leben
sauer macht, dem wollen wir als Buße für seine
Sünde auferlegen, [355] er solle sie herbringen, damit
ihm Gott die Gnade erweise, sie hier mit dem guten
und richtigen Denken sowie der Klugheit zu be-
schenken.«

Die Nachricht eilte durchs Land: [360] Die Dame sei
die allerübelste Frau gewesen, die es je gegeben hätte,
und jetzt wäre sie die beste, die man finden könne;
[365] sie hätte sich vorgenommen, weil Gott sie mit
dieser Macht ausgestattet habe, jeder boshaften Frau,
die zu ihr komme, die Bosheit zu nehmen.

Als man die Wahrheit über die gemauerte Klause
erfahren hatte, [371] in der die Frau gewesen war, und
daß sie kaum überlebt hatte, und daß einer, die jetzt
noch hineinkäme, es genauso erginge, [375] da dachte
eine jede boshafte Frau: »Ich würde sterben, sperrte

ob ich quæme in daz gaden.
der nœte wil ich mich entladen,
ich wil guot sîn unde reine.'
380 des gedâhtens alle gemeine,
die dâ wâren in dem lande.
beide ir sünde und ir schande,
die vermitens alsô sêre,
daz ir übel und ir unêre
385 vor vorhten alsô gar verswant,
daz man niender ein wîp vant
in dem lande, diu übel wære.
durch daz vil guote mære
wart diu vrouwe sô genæme,
390 daz er sich dûhte widerzæme,
der si niht solde schouwen.
man hiez si die heiligen vrouwen
und suohten si als ein heilictuom.
daz grôze lop und den ruom
395 behielt diu vrouwe unz an ir tôt.
Sîn wære an manigen steten nôt,
daz ir noch dâ einiu wære,
diu den liuten vride bære
vor übeler wîbe meisterschaft,
400 die mit ganzer übel sint behaft.


## 18

Ein man sprach ze sînem wîbe:
'wænest du, daz ich bî dir belîbe
immer allez mîn leben?
niht! ich wil dir urloup geben
5 noch hiute über ein jâr!
wir müezen uns scheiden, daz ist wâr,
von hiute über vierzic wochen!

man mich in diesen Raum. Dieses Elend will ich gar
nicht erst auf mich nehmen, ich will gut und keusch
sein.«

[380] So dachten alle im Lande. Aus Furcht vermieden
sie Sünde und Schandtat, so daß ihre Bosheit und ihre
Ehrlosigkeit ganz und gar verschwanden, [386] und
man nirgends im Lande eine boshafte Frau mehr
fand.

Durch diesen guten Ruf wurde die Frau dermaßen
bekannt, [390] daß jeder es für unschicklich hielt, sie
nicht zu besuchen. Sie galt als eine Heilige, und man
suchte sie auf wie ein Heiligtum. Diesen glänzenden
Ruf [395] behielt die Frau bis zu ihrem Tode.

Man hätte noch an vielen Orten eine nötig, die den
Menschen vor der Herrschaft boshafter und durch
und durch schlechter Frauen Frieden verschaffte.

# 18
## Das Ehescheidungsgespräch

Ein Mann sprach zu seiner Frau: »Glaubst du viel-
leicht, ich würde mein ganzes Leben lang bei dir
bleiben? [4] Gewiß nicht! Noch heute in einem Jahr
werde ich dir den Abschied geben! Wir müssen uns
wahrhaftig von heute an in vierzig Wochen trennen!

ich hân missesprochen:
ir werdent niuwan drîzic!
10 ich bin des gerne vlîzic,
daz ez in zweinzigen ergê!
ez geschiht, weizgot, michels ê,
wan ich ez in sehzehen tuon wil!
dannoch wirt ir niht sô vil:
15 ez muoz in zwelfen geschehen!
ich wil dich selben lâzen sehen,
daz ez in zehen geschiht!
dannoch wirt ir sô vil niht:
ez muoz in ahten ergân!
20 ez wirt noch michels ê getân:
ez wirt in sehsen geendet!
sô wirde aber ich geschendet:
ir müezen niuwan vier sîn!
und behalte ich den lîp mîn,
25 ez geschiht über vierzehen naht!
ez wirt noch nâher gemaht:
ez geschiht in siben tagen!
ir wirt noch abe geslagen:
der tage werdent niuwan drî!
30 du bist mir sô leide bî,
daz wir uns scheiden morgen!
ich bin in grôzen sorgen,
wie ich bî dir belîbe disen tac;
des ich getuon niht enmac:
35 du muost iezuo von mir!
den tîvel sach ich an dir,
daz ich ie sô lange bî dir beleip,
daz ich dich von mir niht entreip.
du bist bœse unde arc,
40 übel geschaffen unde karc,
du bist gerumpfen unde swarz,
<u>dîn âtem smecket als ein arz.</u>
mir grûset, swenne ich dich sehen sol!

Das ist falsch: es werden nur dreißig! [10] Ich werde
mich schon anstrengen, daß es in zwanzig geht! Es
fügt sich, weiß Gott, viel früher, denn ich will es in
sechzehn erreichen! Doch so viele werden es gar
nicht: [15] in zwölf muß es gehen! Du wirst selbst
sehen, es passiert in zehn! Aber auch so viele werden
es nicht: in acht muß es gehen! [20] Noch viel früher
wird's gemacht: in sechs wird es beendet! Aber auch
dann wäre es eine Schande für mich: es dürfen nur
noch vier sein! Bei meinem Leben, [25] das Ereignis
findet in vierzehn Tagen statt! Ich mache es noch
früher, nämlich in einer Woche! Auch davon gibt es
noch einen Abschlag: es werden nur drei Tage sein!
[30] Ich habe es so satt, bei dir zu sein, daß wir uns
morgen trennen! Ich habe große Sorgen, am heutigen
Tag bei dir zu bleiben; ich werde es nicht tun: [35] Du
hast mich verhext, daß ich überhaupt so lange bei dir
geblieben bin und dich nicht fortgeschickt habe. Du
bist böse und arglistig, [40] häßlich und unfruchtbar,
runzelig und schwarz, dein Atem stinkt wie ein
Arsch, mir graust bei deinem Anblick! Hätte ich

hæte ich pfenninge einen sac vol,
45 die gæbe ich âne swære,
daz ich ein wîle von dir wære.
wære ich von den ougen dîn –
wære allez ertrîche mîn,
daz wolde ich allez dar umbe geben,
50 wan ich behalte anders niht mîn leben!'
    dâ wider sprach aber daz wîp:
'ez müese, sam mir mîn lîp,
an ein scheiden iezuo gân,
wan daz ich mich bedâht hân:
55 wir suln unz morgen samet wesen.
und trouwestu sîn nimmer genesen:
wir sîn noch ensamet siben tage.
du gihest, wie übel ich dir behage,
daz wirt an dir errochen:
60 wir sîn noch ensamet zwô wochen.
der wochen werdent noch wol drî,
diu vierde woche ist ouch dâ bî
und diu vünfte dâ zuo.
swie ez dînem lîbe tuo:
65 diu sehste woche muoz her.
swie dir dîn herze dar umbe swer,
ich wil dich siben wochen hân.
die ahten wil ich dich niht lân
und dar zuo die niunden.
70 mit allen dînen vriunden
maht du des niht werden vrî:
ich sî dir zehen wochen bî.
die einleften lâze ich dich niht.
ob man dich tôt vor leide siht:
75 ich wil dîn zwelf wochen pflegen.
dir möhte ein keiser niht gewegen,
du sîst drîzehen wochen mîn.
diu vierzehende muoz dâ mit sîn
und diu vünfzehende als wol.

einen Sack voll Geld, [45] den schenkte ich gerne her,
wenn ich eine Zeitlang ohne dich sein könnte. Wäre
ich doch aus deinen Augen – die ganze Welt würde
ich dafür geben, wenn sie mir gehörte, [50] denn ich
kann anders nicht mehr leben!«
Da erwiderte jedoch die Frau: »Bei meinem Leben,
es müßte schon jetzt ans Scheiden gehen, wenn ich
mich nicht anders entschlossen hätte: [55] wir werden
bis morgen zusammenbleiben. Und auch, wenn du
meinst, es nicht ertragen zu können: wir sind noch
eine Woche lang beieinander. Du sagst, wie schlecht
ich dir gefalle, dafür räche ich mich: [60] zwei Wo-
chen verbringen wir noch gemeinsam. Es werden
noch gut drei Wochen, die vierte Woche kommt
hinzu, und auch die fünfte. Du magst anstellen, was
du willst: [65] die sechste Woche muß her. Wie
schwer dir auch dein Herz werden mag, ich bestehe
auf der siebten Woche. Ich werde dich die achte nicht
fortlassen und auch die neunte nicht. [70] All deine
Freunde und Verwandten können dich nicht befrei-
en: zehn Wochen bin ich bei dir. Die elfte verlasse ich
dich ebensowenig. Du magst vor Kummer sterben:
[75] ich werde mich zwölf Wochen bei dir aufhalten.
Ein Kaiser könnte dir nicht helfen: dreizehn Wochen
gehörst du mir. Die vierzehnte muß dazukommen

80  dîniu ougen sint mîn nie sô vol:
    du müezest mich sehzehen wochen sehen.
    ir muoz noch michel mê geschehen:
    diu sibenzehende muoz dar
    und diu ahtzehende alsô gar,
85  dar zuo diu niunzehende.
    wirde ich der wârheit jehende,
    sô gesagete ich dir rehter nie:
    du bist noch zweinzic wochen hie
    und zweinzic wochen dar nâch.
90  dir ist von mir nie sô gâch,
    dune komest nimmer von mir,
    der tôt scheide mich von dir.
    du muost leisten mîn gebot;
    ez enmac der tîvel noch got
95  noch al diu werlt wider tuon.
    ich zebriche dich rehte als ein huon,
    sprichest einez wort dâ wider.'
        dô neicte er sih dô nider
    und suohte ir hulde umbe daz,
100 daz er genæse deste baz:
    'ichn weiz, waz ich geredet hân.
    vrouwe, du solt den zorn lân,
    wan ich bin trunken disen tac,
    daz ich mich niht versinnen mac.
105 ichn weiz, waz ich büezen sol.
    sprach ich iht anders denne wol,
    daz geschach allez von dem wîne,
    des enpfâh die triuwe mîne!
    sô helfe mir unser herre krist:
110 du wære mir ie und immer bist
    rehte als mîn selbes lîp.
    ichn gesach nie dehein wîp
    bezzer noch baz geschaffen.
    ezn möhten alle pfaffen
115 dîn tugende niht vol schrîben.

und ebenso die fünfzehnte. [80] Deine Augen werden
sich an mir noch nicht satt gesehen haben: du mußt
mich schon sechzehn Wochen anschauen. Es wird
noch mehr geben: die siebzehnte muß her und genau-
so die achtzehnte, [85] dazu die neunzehnte. Habe ich
dir je die Wahrheit gesagt, so war ich niemals aufrich-
tiger zu dir als jetzt: noch zwanzig Wochen bist du
hier und noch zwanzig weitere. [90] Du kannst nicht
abhauen, nie kommst du von mir weg, höchstens
wenn der Tod uns scheidet. Du mußt tun, was ich
will; weder Gott noch der Teufel [95] noch die ganze
Welt können dagegen etwas ausrichten. Ich zerquet-
sche dich wie ein Huhn, wenn du nur ein einziges
Wort dagegen sagst.«
Da verneigte er sich und suchte ihre Gnade, [100]
damit er besser davonkäme: »Ich weiß gar nicht, was
ich dahergeredet habe.
Herrin, besänftige deinen Zorn, ich bin heute sinnlos
betrunken und kann mich an nichts erinnern. [105]
Ich weiß nicht, wofür ich büßen soll; habe ich etwas
anderes als Gutes gesagt, so lag es am Wein, das
schwöre ich dir! Unser Herr Christus steh mir bei:
[110] du warst mir immer wie mein eigenes Leben,
und das wird so bleiben. Nie habe ich eine vollkom-
menere noch schönere Frau gesehen. Alle Geistlichen
zusammen [115] könnten deine Tugenden nicht auf-
zählen. Du überstrahlst alle Frauen wie die Sonne die

    du bist vor allen wîben
    sam diu sunne vor den sternen.
    die vrouwen solden lernen
    dîn tugent alle gemeine.
120  ich gesach nie wîp sô reine!
    dîn name swebet vor gote obe
    allen wîben mit lobe,
    die man iender künde vinden
    under allen Adames kinden
125  immer êwiclîche leben.'
      si sprach: 'nu sî dir vergeben,
    swaz du ie getæte wider mich.'
    iesâ kusten si sich.
    hie nam der zorn ein ende.
130  er vie si bî der hende
    und wîste si an ein bette hin.
    dâ ergie ein suone under in,
    diu grôze vröude mahte.
    ir ietwederz lahte.
135  ê daz si schieden von dem bette,
    si kusten sich ze wette
    und sungen ein liet ze prîse
    in einer hôhen wîse.

## 19

    Ein man sprach ze sînem wîbe:
    'an unser zweier lîbe
    tuot got grôzer ungenâden schîn,
    daz er uns lât sô arme sîn.
5  solde ich unz an mînen tôt
    von armuot lîden solhe nôt,
    ich wolde mich selben tœten ê.
    mir tuot diu armuot sô wê,

Sterne. Alle Frauen sollten sich deine Tugenden zum
Vorbild nehmen. [120] Nie habe ich eine so reine Frau
geschaut! Der Ruhm deines Namens schwebt dro-
ben vor Gott über allen Frauen, die man jemals
und in Ewigkeit unter den Kindern Adams finden
könnte.«

[126] Sie antwortete: »Nun sei dir alles vergeben, was
du mir jemals angetan hast.« Augenblicklich küßten
sie sich.

Da legte sich der Unmut. [130] Der Mann ergriff die
Hand seiner Frau und führte sie ins Bett. Die Ver-
söhnung, die dort vor sich ging, machte ihnen großen
Spaß. Sie lachten beide. [135] Bevor sie das Bett
verließen, küßten sie sich um die Wette und sangen
ein Loblied in den höchsten Tönen.

## 19

## Die drei Wünsche

Ein Mann sprach zu seiner Frau: »Uns beiden gegen-
über ist Gott ohne Erbarmen, weil er uns in solcher
Armut leben läßt. [5] Sollte ich bis an mein Lebens-
ende ein solches Elend ertragen müssen, dann wollte
ich mich lieber selbst umbringen. Ich leide dermaßen
an dieser Armut, daß ich nicht weiß, was zu tun ist.

daz ich enweiz, wie ich gebâren sol.
10 ich bin zornes und leides vol,
ich kan des niht versinnen mich,
daz ich mich iender wider dich
verworht habe ode wider got.
hâstu iender gotes gebot
15 zebrochen, daz solt du mir sagen.
ich hilfe dir die buoze tragen,
unz ich dich dîner schulde
bringe an gotes hulde.'
si sprach: 'swaz ich begangen hân,
20 daz hân ich gar mit dir getân.'
er sprach: 'sôn ist mir niht bekant,
war umbe uns got habe gepfant
êren und grôzes guotes.
got ist sô rehtes muotes,
25 gerten wirs, als wirs solden,
er werte uns, swes wir wolden.
wir suln wachen übermaht
und biten in tac unde naht,
daz er uns gebe michel guot.
30 ersiht er unsern stæten muot
und die grôzen arbeit dar zuo,
daz wir spât unde vruo
mit der bete lîden müezen,
er beginnet uns lîhte büezen.'
35 'daz tuon ich gerne', sprach daz wîp,
'sol ichs verliesen danne den lîp,
sô tuot mir baz ein kurzer tôt,
denne daz ich ein lange nôt
von armuot müeze lîden –
40 die wil ich gerne mîden!'
sine sûmten sich niht mêre,
si bâten got vil sêre
umbe werltliche rîcheit
und liten michel arbeit.

[10] Ich bin von Zorn und Sorgen erfüllt, und ich kann mich gar nicht erinnern, daß ich je etwas dir oder Gott gegenüber falsch gemacht habe. Hast du etwa irgendwann Gottes Gebote [15] mißachtet, dann sage es mir. Ich helfe dir, die Buße mitzutragen, bis ich dich aus deiner Sündhaftigkeit in die Gnade Gottes gebracht habe.«

Sie erwiderte: »Alles, was ich gemacht habe, [20] habe ich mit dir gemacht.«

Darauf er: »Dann weiß ich nicht, warum Gott uns Ehre und Reichtum vorenthält. [24] Gott ist doch so gerecht, daß er uns unsere Wünsche erfüllen würde, wenn wir sie angemessen äußerten. Wir werden bis zur Erschöpfung wachen und ihn Tag und Nacht bitten, daß er uns Reichtum schenke. [30] Erkennt er erst unsere Festigkeit, unsere große Anstrengung und die Leiden, die wir früh und spät durch das Gebet ertragen, dann wird er uns schon helfen.«

[35] »Gerne tue ich das«, sagte die Frau, »sollte ich darüber das Leben verlieren, dann ist mir ein rascher Tod lieber als ein langes Leiden in Not und Armut – [40] darauf kann ich wahrhaftig verzichten!«

Sie zögerten nicht länger, Gott inbrünstig um irdischen Reichtum zu bitten, [44] und sie strengten sich

45 mit wachen und mit vasten
   liezen si ir lîp niht rasten
   mit venje und mit gebete.
   swaz iemen mit gebete tete,
   des liezen si niht under wegen.
50 des begunden si sô lange pflegen,
   unz got ir tumpheit schande
   und in sînen engel sande.
   der quam, dâ er den man vant,
   zuo dem sprach er zehant:
55 'du solt niht biten umbe guot!
   got hât sô genædigen muot,
   soldestu guot gehabet hân,
   got hæte dir daz rehte getân,
   als er den andern allen tuot,
60 die er lât haben michel guot.
   ich bin der engel, der dîn pfliget.
   daz dir dîn tumpheit ane gesiget,
   des verliuse ich mîn arbeit;
   mir ist inniclîche daz leit.'
65 er sprach: 'daz ich niht guot han,
   dâ tuot mir got gewalt an!
   ich wære als wol guotes wert
   als alle, die er guotes hât gewert.
   gæbe er mirs, sô solde ichz hân,
70 er muoz genâde an mir begân.
   ich bite in iemer umbe guot,
   unz daz er mînen willen tuot.'
   dô sprach der himelische bote:
   'sît du dem oberesten gote
75 niht gelouben wil noch mir,
   sô wil ich guotes geben dir –
   noch mêre denne ein michel teil,
   daz du versuochest dîn heil.
   wirstu danne ein arm man,
80 dâ bistu selbe schuldic an.

sehr dabei an. Sie schonten sich nicht mit Wachen
und Fasten, mit Kniefall und Gebet. Sie ließen kein
Gebet aus, das sie kannten.

[50] Dies taten sie so lange, bis Gott ihre Dummheit
zuviel wurde und er ihnen seinen Engel schickte. Der
ging zu dem Mann und sprach: [55] »Du darfst doch
nicht um Reichtum bitten! Hättest du Besitz haben
sollen, dann hätte ihn dir Gott in seiner Gnade schon
gegeben, wie allen andern, [60] denen er Reichtum
geschenkt hat. Ich bin dein Schutzengel, wenn die
Dummheit über dich siegt, werde ich arbeitslos; dies
würde ich sehr bedauern.«

[65] Der Mann antwortete: »Gott straft mich, daß ich
nichts besitze! Ich müßte eigentlich genauso reich
sein, wie alle die, denen er Besitz geschenkt hat.
Wenn er ihn mir gäbe, dann hätte ich ihn auch, [70] er
*muß* mir seine Gnade erweisen. Ich werde ihn so
lange um Reichtum bitten, bis er meinen Wunsch
erfüllt.«

Darauf entgegnete der Himmelsbote: »Weil du we-
der Gott dem Allmächtigen [75] noch mir glauben
willst, werde ich dir Reichtum schenken – mehr als
genug, damit du dein Glück versuchen kannst. Wirst
du dann ein armer Mann, [80] bist du selbst daran

habe drîer wünsche gewalt!
swie dîne wünsche sint gestalt,
die ersten drî, die werdent wâr.
soldestu leben tûsent jâr,
85  du hâst mêre denne vil –
ob daz guot mit dir wesen wil.'
er sprach: 'sô bin ich rîche!'
   er gie vil vrœlîche
hin heim ze sînem wîbe:
90  'unser zweier lîbe
hât got ir nôt verendet.
er hât uns guot gesendet,
mêr denne wir in gebeten hân.
wir mugen wol in mit vride lân
95  und mugen wol mit vröuden leben.
er hât drîe wünsche mir gegeben,
die werdent wâr alle drî.
nu rât, waz uns daz beste sî!
dunket dich daz wol gewant,
100  sô wil wünschen ich zehant
von golde einen grôzen berc
und dar umbe ein vestez werc
von einer hôhen mûre guot,
daz uns daz vihe niht entuot.
105  des wünsche ich zeinem mâle wol;
oder ich wünsche einen schrîn vol,
swie guoter pfenninge ich wil,
der immer sî gelîche vil;
swie vil ich dar ûz nemen kan,
110  und swem ich dar ûz ze nemen gan,
daz er doch sî gelîche vol.'
   dô sprach daz wîp: 'ich hœre wol,
wir haben mêre denne vil.
nu tuo, des ich dich biten wil:
115  du solt mir einen wunsch geben
und solt dâ wider niht streben,

schuld. Du darfst drei Wünsche äußern! Wie sie auch
aussehen mögen, die ersten drei gehen in Erfüllung.
Du hast in tausend Jahren [85] mehr als reichlich –
wenn der Reichtum bei dir bleibt.«
Der Mann sagte: »So bin ich reich!«
Fröhlich ging er nach Hause zu seiner Frau: [90]
»Gott hat unser Elend beendet. Er hat uns mehr
Reichtum geschickt, als wir erbeten haben. Wir kön-
nen ihn jetzt in Frieden lassen [95] und in Freuden
leben. Er hat mir drei Wünsche freigestellt, die alle
drei in Erfüllung gehen. Mache dir jetzt Gedanken,
was das Beste für uns ist! Bist du damit einverstan-
den, [100] dann werde ich alsbald einen großen Berg
aus Gold wünschen; den soll eine hohe, starke Mauer
befestigen, damit uns das Vieh nichts beschädigt.
[105] Dies wünsche ich mir als erstes; oder ich wün-
sche mir eine Truhe voller guter Pfennige, deren
Anzahl immer dieselbe bleibt, wieviel ich auch weg-
nehme; [109] auch wenn ich oder jemand, dem ich es
erlaube, noch so viel herausnimmt, sie soll immer
gleich voll bleiben.«
Da erwiderte die Frau: »Ich höre wohl, daß wir mehr
als genug haben. Nun erfülle meine Bitte: [115] einen
Wunsch sollst du mir freistellen, dagegen solltest du
nichts einzuwenden haben, du hast an den beiden

du hâst genuoc an den zwein.
du weist wol, daz ich miniu bein
sô vil dar nâch gebogen hân;
120 ez hât got als wol getân
durch mîn gebet sam durch daz dîn –
ein wunsch ist billiche mîn.
er sprach: 'nu habe dir einen,
ich gibe dir mêr deheinen,
125 und sich, daz du in bestatest sô,
daz sîn al diu werlt werde vrô.'
'nu wolde got', sprach si zehant,
'hæte ich daz beste gewant
iezuo an mînem lîbe,
130 daz an deheinem wîbe
in der werlte wart gesehen!'
als der wunsch was geschehen,
dô het si daz gewant an.
'wê mir, wê!' sprach der man,
135 'du vil unsæligez wîp!
du möhtest aller wîbe lîp
vil wol ze dir gekleidet hân
und hætest dannoch baz getân,
wærestu iemen holt gewesen.
140 dîn sêle ist iemer ungenesen,
daz du niemens vriunt gewesen bist.
daz wolde der heilige krist,
sît du triuwen bist lære,
daz ez dir in dem bûche wære,
145 daz du gewandes würdest sat!'
daz wart wâr an der stat:
daz gewant was in dem wîbe;
daz hæte si in dem lîbe
vil nâch gezerret enzwei.
150   vil ungevuoge si dô schrei,
wand ir was wirs denne wê.
si schrei ie mê unde mê.

anderen genug. Du weißt doch ganz gut, daß ich
meine Beine sehr oft gekrümmt habe, um dies zu
erreichen; [120] Gott hat es durch mein Gebet ebenso
gegeben wie durch deines – ein Wunsch gehört ge-
rechterweise mir.«

Er antwortete: »Dann nimm dir halt einen, einen
zweiten gebe ich dir nicht, [125] und sieh zu, daß du
ihn so verwendest, daß man seine Freude daran
haben kann.«

»Wolle Gott«, sagte sie auf der Stelle, »daß ich jetzt
das schönste Kleid anhätte, [130] das jemals an einer
Frau gesehen wurde!«

Kaum war der Wunsch ausgesprochen, da hatte sie
schon das Kleid an. »Weh mir, weh!« rief der Mann,
[135] »du unglückselige Frau! Du hättest alle Frauen
so kleiden können wie jetzt dich, und darüber hinaus
hättest du noch mehr getan, wenn du nur jemand
gemocht hättest. [140] Deine Seele bleibt ewig in der
Verdammnis, weil du nie jemanden zum Freund
gehabt hast. Da du treulos bist, so schaffe der heilige
Christ das Kleid in deinen Bauch, [145] daß du davon
satt wirst!«

Dies ging sofort in Erfüllung: das Kleid befand sich
in der Frau; es hätte sie fast auseinandergerissen.
[150] Da schrie sie entsetzlich auf, denn ihr war
hundeelend. Sie schrie lauter und lauter.

dô man gehôrte disen schal,
die burger quâmen über al
155 und vrâgten, waz ir wære.
dô sagete si in daz mære,
daz ir von ir manne geschach.
daz was ir vriunden ungemach,
die dröuweten im mit schalle
160 und sprâchen daz alle:
'lœset ir uns niht daz wîp,
wir nemen iu iezuo den lîp!'
si zuhten mezzer unde swert
und drungen vaste dar wert.
165 　dô er wol hôrte unde sach
beidiu des wîbes ungemach
und sîner vîende drô,
dô machte ers alle sament vrô:
'daz wolde got, unser trôst,
170 daz si sanfte würde erlôst,
daz si gesunt wære als ê.'
dône war ir aber niht mê:
si was der ungenâden vrî.
　und heten die wünsche alle drî
175 ein schentlich ende genomen,
und wâren des ze ende komen,
daz si niht guotes solden hân.
si heten beidiu missetân,
doch wart dem manne der schulde verjehen,
180 dem was ouch vaster misseschehen.
daz wart im wol vergolten –
er wart sô vil gescholten
und wart sô gar der werlde spot,
daz er unsern herren got
185 niht anders bat wan umbe den tôt.
sîn schande was ein grôziu nôt,
dô wart sîn unwerdekeit
vil volliclîch ein herzeleit.

Als die Bürger diesen Lärm hörten, kamen sie von
überall herbei [155] und fragten, was ihr fehle. Da
erzählte sie ihnen, was ihr ihr Mann angetan hatte.
Darüber wurden ihre Verwandten böse, alle drohten
ihm laut [160] und sagten: »Erlöst Ihr die Frau nicht,
dann nehmen wir Euch auf der Stelle das Leben!« Sie
zückten Messer und Schwerter und bedrängten ihn
heftig.

[165] Als er die Qualen der Frau und die Drohung
seiner Feinde sah und hörte, bereitete er ihnen allen
eine Freude: »Gott, unser Beschützer, [170] erlöse sie
sanft, daß sie gesund wird wie zuvor.« Da fehlte ihr
nichts mehr, und sie war von ihrem Unheil befreit.
So hatten alle drei Wünsche [175] ein schmachvolles
Ende genommen, und zwar so, daß der Mann und
die Frau nichts besaßen. Beide hatten sich falsch
verhalten, doch wurde dem Mann die Schuld ange-
lastet, [180] ihm war es auch viel schlimmer ergangen.
Dies wurde ihm voll zurückgezahlt – man schimpfte
so sehr auf ihn, und er wurde so sehr zum Gespött
der Leute, daß er unsern Herrgott [185] nur noch um
seinen Tod anflehte. Seine Schande bedeutete ein
großes Elend für ihn, seine Schmach ging ihm sehr zu

sîn laster und sîn schande
190 volten allen in dem lande
beide naht und tac ir ôren.
er wart vür allen tôren
mit den worten ungeschœnet
und wart sô gar gehœnet,
195 daz er vor leide verdarp
und durch daz leit vor leide starp.
    swer noch sô vil guotes verlüre,
swie grôze klage er dar umbe küre,
ern möhtez doch volklagen niht,
200 als uns der tôren site vergiht.
unrehtiu gir, unrehtez bejagen
und nâch vluste unrehtez klagen,
daz ist wan der tôren ahte.
    die tôren sint drîer slahte:
205 die niht sinne habent gewunnen –
diene wizzen noch enkunnen;
die andern wellent wizzen niht –
die sint noch vürbaz enwiht;
sô sint die driten sinne vol –
210 die kunnen unde wizzen wol
und tuon daz bœseste dâ bî,
swie ez *in* allez kunt sî.
manic tôre ist des muotes:
ob er vil vriunde und vil guotes
215 gewinnen und behalten kan,
sô dunket er sich ein wîse man.
swaz vriunde er hât, swie rîche er ist –
und ist der vil heilige krist
sîn vriunt niht al eine,
220 sô hilfet ez allez kleine,
swaz er vriunde und guotes hât.
swenne er vriunde und guot lât,
ist im diu sêle danne ungenesen,
sô ist er ie ein tôre gewesen.

Herzen. Sein lasterhaftes und schändliches Verhalten
[190] klangen jedermann im Lande Tag und Nacht in
den Ohren. Man machte ihn vor allen Dummköpfen
herunter und verhöhnte ihn so sehr, [195] daß er vor
Kummer zugrunde ging und durch die Beleidigungen
jammervoll starb.

Es mag jemand noch soviel Reichtum verlieren und
darüber noch sosehr klagen, er könnte mit der Klage
niemals aufhören – [200] es ist die Art der Toren.
Falsche Gier, falsches Streben und falsches Klagen
über einen Verlust – dies ist die Art der Dumm-
köpfe.

Es gibt dreierlei Toren: [205] die einen, die keinen
Verstand bekommen haben – sie wissen und können
nichts; die zweiten, die nichts wissen wollen – die
taugen erst recht nichts; die dritten haben viel Ver-
stand – [210] sie können und wissen etwas, und
obwohl sie alles wissen, machen sie nur die schlimm-
sten Sachen. Mancher Dummkopf meint, er wäre
schlau, wenn er viele Freunde erwerben und großen
Reichtum gewinnen könnte. [217] Er mag jedoch so
viele Freunde haben und so reich sein wie er will –
wenn der heilige Christ nicht sein einziger wirklicher
Freund ist, [220] dann helfen ihm seine anderen
Freunde und sein Reichtum wenig.

Besitzt jemand Freunde und Reichtum, so bleibt er
doch auf ewig ein Tor, wenn seine Seele krank ist.

225    swer die sêle niht ernert,
       der ist ein tôre, swie er vert.
       ez hât niemen wîsen muot,
       wan der gotes willen tuot.


## 20

Zwêne künige wâren ze einer zît,
die grôzen haz unde nît
ein ander truogen beide.
dem einen, dem was leide,
5  daz der arme iht behielt –
wan daz er grôzer sinne wielt
und micheler vrümikeit.
er hæte in dicke hin geleit,
dô was er biderbe unde wîs,
10  dâ von bejagte er solhen prîs,
daz in der rîche niht vertreip
und wol bî sînen êren beleip,
unz der rîche künic starp.
    dô sîn sun die krône erwarp,
15  dô wolde er ouch den armen an.
daz widerrieten sîne man
und swuoren im vil sêre,
daz sîn vater nie dehein êre
an im kunde bejagen.
20  'ir enkunnet niemen gesagen',
sprâchen sîne râtgeben,
'war umbe ir welt mit leide leben.
er hât iu leides niht getân,
des sult ir in geniezen lân.'
25  der künic vil zorniclîche sprach:
'mir ist ein solch ungemach
geschehen von sînen schulden,

[225]Wer für die Rettung seiner Seele nichts unternimmt, der bleibt ein Narr, was er auch tut. Nur ist weise, der den Willen Gottes erfüllt.

## 20
### Der arme und der reiche König

Einst lebten zwei Könige, die sich sehr haßten und neidisch aufeinander waren. Den reicheren ärgerte es, [5] daß der arme nichts besaß – außer viel Verstand und große Rechtschaffenheit. Schon oft hätte der reiche ihn gerne vernichtet, doch dieser war tüchtig und klug, [10] wodurch er solchen Ruhm erlangt hatte, daß jener ihn nicht mehr vertreiben konnte; der arme blieb in großem Ansehen, bis der reiche starb.

Als dessen Sohn die Krone erhalten hatte, [15] wollte auch er gegen den armen König ziehen. Seine Vasallen rieten davon ab und machten ihm eindringlich klar, daß sein Vater niemals ehrenvoll aus einer Auseinandersetzung mit ihm hervorgegangen war.

[20] »Ihr könnt niemandem erklären«, hielten ihm seine Räte vor, »warum Ihr seinetwegen beleidigt seid. Er hat Euch nichts Böses zugefügt, deshalb solltet Ihr ihn in Ruhe lassen.«

[25] Sehr aufgebracht antwortete der König: »Durch ihn ist mir ein solches Unglück widerfahren, daß ich

ern kome sîn ze mînen hulden,
ich riche ez an im iemer;
30  der râche erwinde ich niemer,
unz ich im sîn êre benime.
mir ist getroumet von ime
unsanfte und alsô swære,
daz er mir offenbære
35  nâch mînen êren büezen muoz;
ode im wirt des nimmer buoz;
ern müeze haben allen tac
den strît, den ich geleisten mac.'
daz begunde den wîsen allen
40  vil sêre missevallen,
daz er grôze ungedult
begie umbe ein sô kleine schult.
    er nam ir râtes niht wâr
und sande sînen boten dâr.
45  der quam, da er den *künic* vant.
ein wazzer schiet ir zweier lant,
sô grôz, daz ez grôziu schif truoc.
dô der bote dort gewuoc,
waz dar bî im enboten was,
50  und man den brief dar zuo gelas,
und der brief des selben jach,
der künic ze dem boten sprach:
'nu sage dem herren dîn daz:
treit er mir deheinen haz,
55  daz wil ich gerne stillen.
er hât mit mînem willen
dehein sîn laster nie gesehen;
ist ez unwizzende geschehen,
daz büeze ich vlîziclîche.
60  ich bin vil wol sô rîche
beide ritter und guotes
und lîbes und muotes,
daz ich im buoze niht versage.

mich an ihm rächen muß, es sei denn, daß er mir
huldigt. [30] Von dieser Rache lasse ich nicht ab, bis
ich ihn seiner Ehre beraubt habe. Ich habe so schwer
und bedrückend von ihm geträumt, daß er mir öf-
fentlich [35] und gemäß meiner Ehre Abbitte leisten
muß; andernfalls wird es ihm nicht erspart bleiben,
daß ich nach besten Kräften Tag für Tag gegen ihn
kämpfe.« [39] Dies, daß er aus nichtigem Anlaß her-
aus so heftig reagierte, mißfiel den Weisen sehr.
Er achtete nicht auf ihren Rat und sandte seinen
Boten aus. [45] Dieser kam zu dem armen König. Ein
Fluß, so groß, daß er schiffbar war, trennte die
Länder.
Als der Bote dort vorgebracht hatte, was ihm aufge-
tragen war [50] und als man den Brief gelesen hatte,
der dasselbe aussagte, da sprach der König zu dem
Boten: »Nun melde deinem Herrn folgendes: wenn
er mich haßt, [55] so würde ich dies gerne ändern.
Willentlich habe ich ihn nicht gekränkt; geschah es
unbeabsichtigt, will ich es gerne wiedergutmachen.
[60] Ich bin so reich an Rittern und Besitz, an Kraft
und Verstand, daß ich ihm gerne Genugtuung ver-

von hiute über vierzic tage
65 heiz in her an ditz wazzer komen.
swenne sîn klage wirt vernomen,
si sî krump ode sleht,
ich wil im büezen über reht.'
der bote dâ mit urloup nam.
70 dô er ze sînem herren quam,
und er vernam disen tac:
'swaz ritter ich nu gehaben mac,
die müezen', sprach er, 'alle dar.
wirde ich danne dâ gewar,
75 daz er mir iender widerstât,
ich nime im allez, daz er hât.'
dô si des tages beide erbiten,
ze dem wazzer si duo riten,
daz ir zweier künicrîche schiet.
80 der ermer künic dô geriet,
daz ietweder zwelf ritter nam
und gevarnde in einem schiffe quam
ûf einen wert wolgetân,
den sach man in dem wazzer stân.
85 dar begunden si beide gâhen.
dô si an ein ander sâhen,
der ermer sprach: 'lât mich verstân,
durch got, waz hân ich iu getân!'
dar wider sprach der rîche:
90 'iu ist bescheidenlîche
mîn brief und ouch mîn bote komen,
die habet ir beide wol vernomen.
geloubet ir den niht beiden,
sô wil ichz iu bescheiden
95 und wil der wârheite jehen.
mir ist ein leit von iu geschehen,
des ich billîche enbære:
mir ist ein troum sô swære
von iu getroumet benamen,

schaffe. [64] Richte ihm aus, er möge von heute ab in
vierzig Tagen hierher zu diesem Fluß kommen.
Wenn er seine Klage vorgetragen hat, sie sei falsch
oder richtig, dann werde ich ihm gemäß der Rechts-
lage Genugtuung verschaffen.«
Mit diesem Auftrag nahm der Bote Abschied [70] und
ging zu seinem Herrn. Als dieser den Gerichtstermin
vernommen hatte, sprach er: »Alle meine Ritter, die
ich aufbieten kann, müssen dorthin. Werde ich dann
gewahr, [75] daß er mir Widerstand leistet, nehme ich
ihm alles weg, was er besitzt.«
Nachdem sie beide auf den festgesetzten Tag gewar-
tet hatten, ritten sie zu dem Fluß, der ihre beiden
Königreiche trennte. [80] Der ärmere König schlug
vor, jeder solle zwölf Ritter zu sich nehmen und zu
Schiff auf eine schöne Insel fahren, die im Wasser
lag.
[85] Beide eilten sie dorthin. Als sie einander erblick-
ten, sagte der ärmere König: »Gebt mir um Gottes
willen zu verstehen, was ich Euch angetan habe!«
Der reiche erwiderte: [90] »Ihr wißt durch meinen
Brief, den Ihr gelesen, und meinen Boten, den Ihr
gehört habt, Bescheid. Wenn Ihr beiden nicht glaubt,
dann will ich es Euch klarmachen und noch einmal
deutlich sagen. [96] Ihr habt mir ein Unrecht zuge-
fügt, das ich nicht verdient habe: wahrhaftig, ich
habe so schwer von Euch geträumt, [100] daß ich

100 daz ich michs wolde iemer schamen,
    irn büezet mir den ungemach,
    der mir des nahtes geschach.'
    dô het der ermer daz bedâht,
    daz er vil ritter hæte brâht,

105 die besten über allez sîn lant,
    und diu besten ros, diu *man* vant.
    diu ros hetens überschriten
    und wâren ûf daz stat geriten;
    der stuont daz velt allez vol.

110 dâ sach man in dem wazzer wol
    der ritter schat begarwe
    und ouch der rosse varwe.
    des nam der ermer künic wâr
    und zeigte im mit der hant dâr

115 in daz wazzer an den schat;
    er sprach: 'ich hân des guote stat,
    daz iu hie reht von mir geschiht.
    mich ensûmet ouch der wille niht,
    sît ir sô grôzes leides jehet.

120 swaz ir der ritter iender sehet
    in dem wazzer über al,
    hin ûf unde her zetal,
    die sint mir alle undertân,
    daz sint die besten, die ich hân.

125 die vüeret gevangen von hinnen,
    und lât si danne gewinnen
    iuwer hulde, sô si næhest megen.
    dâ mit wil ich hin legen
    daz leit, daz iu von mir geschach.'

130 der rîcher künic dô sprach:
    'wer möhte die berüeren
    oder iender gevüeren,
    sît si alle niuwan schate sint?
    ich wæne, ir habet mich vür kint,

135 daz ir mîn spotet alsô.'

mich immer schämen müßte, wenn Ihr mir für diese
nächtliche Unannehmlichkeit keine Genugtuung ge-
währen würdet.«

Da dachte der ärmere daran, daß er viele Ritter, die
besten seines Landes, hergeführt hatte, [106] und die
besten Pferde auf der Welt. Diese hatten den Fluß
überquert und waren an das Ufer geritten; die Ebene
war voll von ihnen.

[110] Im Wasser konnte man nun die Schatten der
Ritter und der Pferde sehen. Der ärmere König nahm
dies wahr und zeigte mit der Hand [115] auf die
Schatten im Wasser; er sprach: »Ich sehe eine gute
Gelegenheit, Euch hier von mir Recht widerfahren
zu lassen. Ich zögere gewiß nicht, da Ihr ein so
großes Leid beklagt. [120] Alle Ritter, die Ihr hier
überall flußaufwärts und -abwärts seht, sind mir
untertan, und es sind die besten, die ich besitze. [125]
Die dürft Ihr als Gefangene mit Euch führen, laßt
sie Euch huldigen, sobald sie mögen. Damit will ich
das Leid wiedergutmachen, das ich Euch angetan
habe.«

[130] Der reichere König antwortete: »Wer könnte die
anfassen oder wegführen, wo sie doch alle nur Schat-
ten sind? Ihr haltet mich wohl für ein Kind, [135] daß
Ihr mich derart verspottet.«

    der arme künic sprach dô:
'nu habet ir mir doch veriehen,
daz ez in troume sî geschehen,
daz leit, daz ir von mir kleit.
140  sît ir mir selbe habet geseit,
daz iuch ein schate hât gemuot,
ob daz ein schate wider tuot,
diu buoze ist eben unde sleht,
die sult ir nemen, daz ist reht.
145  geschiht iu iemer mê
in deheinem troume als ê,
sô komet aber her ze mir,
die selben buoze vinden wir
alle zît hie bereit.
150  welt ir grôze rîcheit
mit iuwern troumen bejagen,
sô sult irs alten wîben sagen,
die sagent iu wærlîche,
daz ir sælic unde rîche
155  werdet unde dar zuo alt;
der vrum ist danne drîvalt.'
    sus wart sîn spoten sô grôz,
daz sîn den rîchen verdrôz.
der vuor zorniclîche dannen
160  und sagete sînen mannen
vil rehte, daz diu rede was.
daz er von spote dô genas,
dâ muose ein wunder an geschehen.
si muosen alle samt jehen:
165  der iemer gedenken solde,
wie man im büezen wolde,
der kunde niht bezzers vinden.
    dô muose der künic erwinden.
daz wazzer was sô werhaft,
170  hæte er dannoch græzer kraft,
ez hæte der ander wol erwert.

Der arme König entgegnete: »Ihr habt mir doch
gesagt, Ihr hättet das Leid, weswegen Ihr mich an-
klagt, geträumt. [140] Da Ihr mir selbst gesagt habt,
daß es ein Schatten war, der Euch bekümmert hat, so
ist ein Schatten als Genugtuung angemessen und
gerecht; Ihr solltet sie annehmen, so will es das
Recht. [145] Kommt ruhig wieder zu mir, wenn Ihr
nochmals einen solchen Traum habt, wir werden hier
stets dieselbe Möglichkeit zu büßen vorfinden. [150]
Wollt Ihr mit Euren Träumen groß und mächtig
werden, dann erzählt sie alten Weibern, die werden
Euch weissagen, daß Ihr glücklich und mächtig wer-
det [155] und ein hohes Alter erreicht; der Nutzen
wäre dann gleich dreifach.«
Er spottete so sehr, daß es den reichen König ver-
droß, noch länger bei ihm zu bleiben. Er ritt wütend
weg [160] und berichtete seinen Vasallen alles, was
verhandelt worden war. Daß er da ohne Spott davon-
kam, war ein Wunder. Sie waren alle einer Meinung:
[165] wer sich auch immer Gedanken darüber ge-
macht hätte, wie man ihm hätte Genugtuung ver-
schaffen können, wäre nicht in der Lage gewesen,
sich etwas Besseres auszudenken.
Da war der König gezwungen aufzugeben. Selbst
wenn er ein noch größeres Heer mit sich geführt
hätte, der andere König hätte sich gut verteidigen
können, denn der Fluß war die beste Wehr.

swer âne wîsheit nu vert,
tuot der die widerkêre
âne vrum und âne êre,
175    dâ ist niht wunders bî gewesen.
swer sînes willen wil genesen
und âne guote witze lebet,
swâ der nâch vremden êren strebet,
die herte sint ze werben,
180    des gewerft sol wol verderben.
man verliuset der unwægen spil
von den schulden harte vil,
daz si alle tumbe sinne hânt,
die daz unwægeste ane gânt.

## 21

In einer stat saz ein man,
des sünde enmac ich noch enkan
ouch ensol niht alle künden.
er het an allen sünden
5    sô rehte volliclîche teil,
daz ez diu liute dûhte ein heil,
daz in diu erde niht verslant.
zwei dinc macheten in bekant:
sô sündic und sô rîche
10    was dehein sîn gelîche.
er was dâ rihtære,
sîn leben was wîten mære.
er begunde eines markettages jehen,
er wolde rîten unde sehen
15    sînen liepsten wîngarten.
des begunde der tîvel warten
des selben morgens vil vruo.
er quam im an dem wege zuo,

[172] Wenn jemand ohne vernünftige Überlegung et-
was unternimmt und dann ehrlos und ohne etwas
erreicht zu haben zurückkehrt, [175] so braucht einen
das nicht zu wundern.
Wer seinen Willen durchsetzen möchte und nach
Ehrungen, die ihm nicht zustehen und die schwer zu
erreichen sind, verlangt und dabei keinen Verstand
hat, [180] dessen Unternehmungen sind von vornher-
ein zum Scheitern verurteilt. Unwägbare Risiken en-
den häufig in einer Katastrophe, weil die, die das
stärkste Risiko auf sich nehmen, meistens sehr tö-
richt sind.

# 21
## Der Richter und der Teufel

In einer Stadt wohnte ein Mann, dessen Sünden mag,
kann und will ich auch gar nicht alle erzählen. An
allen Sünden hatte er [5] so vollen Anteil, daß die
Leute meinten, er hätte Glück, daß ihn die Erde nicht
verschlänge. Zwei Eigenschaften brachten ihn in Ver-
ruf: keiner war so sündig, und keiner übte eine solche
Macht aus wie er. [11] Er war Richter dort, seine
Lebensweise war weithin berüchtigt.
Einst, an einem Markttag, verkündete er, er wolle
ausreiten, [15] um nach seinem liebsten Weinberg zu
sehen. Darauf wartete an diesem Morgen der Teufel
in aller Frühe. Er trat vor ihn auf den Weg, als er von
dem Weinberg zurückritt.

dô er von dem wîngarten reit.
20  der tîvel truoc vil rîcher kleit,
diu wâren harte wol gesniten.
dô quam der rihtære geriten.
wan er in vür einen man sah,
des gruozte er in unde sprach,
25  wanne er wære unde wer:
'daz ist ein dinc, des ich ger,
daz ir mir daz rehte saget.'
'ez ist iu alse guot verdaget',
sprach der tîvel zehant.
30  'ez muoz mir werden bekant',
sprach der rihtære mit zorne,
oder ir sît der verlorne.
ich hân gewaltes hie sô vil,
swaz ich iu leides tuon wil,
35  daz mac mir niemen erwern.'
er begunde zornlîche swern:
sagete er im niht daz mære,
von wanne unde wer er wære,
er næme im lîp unde guot.
40  'ê ir mir sô grôzen schaden tuot,
ich sage iu ê vil rehte
mînen namen und mîn geslehte',
sprach der vervluohte zehant,
'ich bin der tîvel genant.'
45  dô sprach der rihtære,
was sînes gewerbes wære.
'daz wil ich dich wizzen lân:
ich sol in die stat gân.
ez ist hiute diu zît,
50  swaz man mir ernestlîche gît,
daz ich daz allez nemen sol.'
der rihtære sprach: 'nu tuo sô wol
und gunne mir, daz ich sehe,
swaz dir ze nemen geschehe,

[20] Der Teufel trug viele prächtige Gewänder, die sehr schön geschnitten waren. Der Richter kam dahergeritten, und weil er ihn für einen Menschen hielt, grüßte er ihn und fragte, [25] woher er käme und wer er sei: »In diesen Dingen müßt Ihr mir präzise Auskunft geben.«

»Warum sollte ich Euch das sagen?« antwortete der Teufel darauf.

[30] »Ich muß es wissen«, entgegnete der Richter zornig, oder Ihr seid verloren. Ich bin in dieser Gegend sehr mächtig, und niemand kann mich daran hindern, Euch so hart zu bestrafen, wie ich will.« [36] Er schwor zornig: wenn er ihm nicht berichtete, woher er käme und wer er sei, dann nähme er ihm Gut und Leben.

[40] »Bevor Ihr mich derart ins Unglück stürzt, sage ich Euch lieber meinen Namen und meine Herkunft«, antwortete der Verfluchte, »man nennt mich den Teufel.«

[45] Da fragte der Richter, was er denn vorhabe.

»Das will ich dich wissen lassen: ich werde in die Stadt gehen. Heute ist nämlich der Tag, an dem ich alles nehmen darf, was man mir in vollem Ernst schenkt.«

[52] Darauf der Richter: »Nun sei so gut und erlaube mir zu sehen, was dir in die Hände fällt, [55] so lange dieser Markt dauert.«

55    die wîle und dirre market wer.'
      'des entuon ich niht', sprach er.
      der rihter sprach: 'sô gebiute ich dir,
      daz du niht enkomest von mir
      und mich hiute sehen lâst
60    allez, daz du hie begâst.
      daz gebiute ich dir bî gote
      und bî dem selben gebote,
      dâ mit ir alle wurdet gevalt;
      und gebiute dirz bî gotes gewalt
65    und bî gotes zorne dâ bî,
      und swie vil der gebote sî,
      diu immer müezen vür sich gên,
      den ir niht muget widerstên,
      weder du noch die genôze dîn –
70    dâ bî müeze ez dir geboten sîn!
      ich gebiute dirz bî gotes gerihte,
      daz du nemest ze mîner gesihte,
      swaz man dir hiute gebe!'
      'ôwê, daz ich iender lebe!'
75    sprach der tîvel zehant,
      'du hâst mich in sô starkiu bant
      beidiu gevangen und gebunden,
      daz ich ze manigen stunden
      sô grôze nôt nie gewan.
80    swaz ich dar nâch gedenken kan,
      sô enweiz ich niender den list,
      wâ vür ez dir guot ist.
      sît ez dir âne vrume sî,
      sô lâ mich dirre dinge vrî.'
85    der rihtære sprach: 'des entuon ich niht!
      swaz mir dar umbe geschiht,
      daz muoz mir allez geschehen –
      ich wil dîn nemen hiute sehen.'
      der tîvel sprach: 'ez muoz ergân!
90    daz du michs niht wil erlân,

»Das lasse ich nicht zu«, erwiderte der Teufel.
Der Richter: »So gebiete ich dir, heute bei mir zu
bleiben und mir alles zu zeigen, [60] was du hier
unternimmst. Dies gebiete ich dir im Namen Gottes
und kraft jenes Gebotes, durch das ihr alle gestürzt
wurdet; und ich gebiete es dir bei der Macht Gottes
[65] und außerdem beim Zorn Gottes und bei allen
Geboten, die es überhaupt gibt oder jemals geben
wird, und denen ihr, du und deine Gesellen, keinen
Widerstand leisten könnt – [70] bei all dem soll es dir
geboten sein! Ich gebiete dir beim Gerichtstag Got-
tes, mir alles zur Begutachtung vorzulegen, was man
dir heute schenkt!«
»O weh, bei meinem Leben!« [75] rief da der Teufel,
»du hast mich in so starke Bande gefesselt und ge-
bunden, daß ich noch nie so in Bedrängnis war. [80]
Wie sehr ich allerdings auch darüber nachdenke, ich
komme nicht dahinter, wozu dies gut für dich ist.
Befreie mich wieder, wo es dir doch ohnehin nichts
nützt.«
[85] Der Richter entgegnete: »Das lasse ich bleiben!
Es ist mir egal, was mir deswegen zustößt – ich will
sehen, was du heute nimmst.«
[89] Da sprach der Teufel: »Es sei! Es bedrückt mich
sehr, daß du es mir nicht ersparen möchtest. Wärst

daz ist mir swære unde leit.
bekantestu die wîsheit,
du liezest dîn twingen mich sîn.
beidiu dîn genôze unde die mîn,
95  die tragent ein ander grôzen haz
und enwerdent dar an nimmer laz.
des soldestu mich lâzen varn,
woldestu dîn reht bewarn.'
dô sprach der rihtære:
100  'ezn sî dir nie sô swære,
daz ich mit dir gên wil.
ez werde wênic ode vil,
swaz dir hiute wirt gegeben
mit willen, âne widerstreben,
105  daz wil ich dich sehen nemen,
ob ez mir solde missezemen –
ich erlâze dichs benamen niht.
sprichest aber dar wider iht,
daz wære alsô guot verborn.'
110  'nu lâ belîben dînen zorn!'
sprach der vervluohte geist,
'dâ du vil lützel umbe weist,
des bindestu noch hiute ein seil.'
dô wart er vrô unde geil.
115  daz er dâ wunder solde sehen,
dâ was im leide an geschehen.
   in die stat giengens iesâ;
dâ was des tages market dâ,
und was dâ liute genuoc.
120  dem rihtære man dâ truoc
vil manic trinken an die hant.
dône was da niemen bekant,
wer sîn geselle wære.
dem bôt der rihtære,
125  der tîvel woldes aber niht.
   dô ergie ein sô getân geschiht,

du klug, du würdest mich nicht bedrängen. Meines-
gleichen und deinesgleichen [95] hassen einander sehr,
und zwar unerbittlich. Deshalb solltest du mich,
wenn du vorsichtig wärst, gehen lassen.«
Der Richter erwiderte: [100] »Über meine Absicht,
mit dir zu gehen, solltest du dich nicht beschweren.
Ich möchte zusehen, was du von dem, was dir heute
freiwillig und ohne Widerstand gegeben wird, an
dich nimmst, es sei wenig oder viel, um festzustellen,
ob es mir mißfällt – dies erlasse ich dir nicht. Alles ist
umsonst, was du auch dagegen vorbringst.«
[110] »Nun beruhige dich doch!« antwortete der ver-
fluchte Geist, »du drehst dir selbst einen Strick aus
dem, worüber du im Augenblick noch so wenig
weißt.«
Da war der Richter froh und glücklich. [115] Die
merkwürdigen Dinge, die er nun sehen sollte, sollten
sein Unglück werden.
Sie gingen in die Stadt; es war Markttag, und viele
Menschen hielten sich in ihr auf. [120] Dem Richter
brachte man viel zu trinken herbei. Doch niemand
kannte seinen Gesellen. Diesem bot der Richter auch
an, [125] aber der Teufel wollte es nicht.
Da geschah folgendes: Ein Schwein machte einer

daz einem wîbe geschach
von einem swîne ein ungemach;
daz treip si balde vür ir tür.
130 'nu ginc dem tîvel hin vür',
sô sprach daz zornige wîp,
'der neme dir hiute dînen lîp!'
der rihter sprach: 'geselle mîn,
nu nim vil balde daz swîn!
135 ich hœre wol, daz man dirz giht.'
'ezn ist ir ernest leider niht',
sprach der tîvel wider in,
'ich vüerte ez williclîche hin,
gæbe si mirz mit der wârheit;
140 næme ich irz, ez wære ir leit.'
dô giengens an den market baz.
dâne weiz ich aber, waz
einem andern wîbe geschach,
daz si ze einem rinde sprach:
145 'dem tîvel sîstu gegeben,
der neme dir hiute dîn leben!'
dô sprach der rihtære:
'nu hœrestu wol daz mære,
daz dir daz rint gegeben ist!'
150 'ez irret ein vil karger list',
sprach der tîvel aber dô,
'si wære ein jâr dar umbe unvrô,
würde si des innen,
daz ich ez vüerte von hinnen.
155 ichn ruoche, waz dâ geredet sî,
dâne was der ernest niender bî –
ichn hân niht an dem rinde.'
dô sprach ein wîp ze ir kinde:
'dune wil niht tuon durch mich,
160 der übel tîvel neme dich!'
'nu nim daz kint!' sprach der man.
'ichn hân dâ rehtes niht an',

Frau Ärger; sie trieb es eilig vor die Tür. [130] »Geh
doch zum Teufel!« schrie die Frau zornig, »der soll
dich noch heute umbringen!«

Da sprach der Richter: »Mein Freund, nimm schnell
das Schwein! [135] Ich höre, daß du es haben
sollst.«

»Leider meint sie es nicht ernst«, erwiderte ihm der
Teufel, »ich nähme es gerne mit mir, wenn sie es mir
wirklich geben wollte; [140] aber es würde sie un-
glücklich machen, wenn ich es ihr wegnehmen
würde.«

Danach gingen sie auf dem Markt weiter. Nun weiß
ich gar nicht, was da einer anderen Frau zugestoßen
war, daß sie zu einem Rind sagte: [145] »Ich gebe dich
dem Teufel, der soll dich noch heute umbringen!«

Da sagte der Richter: »Hörst du, wie man dir das
Rind gibt!«

[150] »Ein schwacher Verstand irrt leicht«, antwortete
der Teufel, »merkt sie, daß ich es ihr wirklich weg-
nehme, sie wäre dann ein Jahr lang traurig darüber.
[155] Ich kümmere mich nicht um die Worte, denn sie
waren nicht ernstgemeint – von dem Rind habe ich
nichts.«

Da sprach eine Frau zu ihrem Kind: »Wenn du nicht
gehorchst, [160] dann soll dich der böse Teufel
holen!«

»Nun nimm doch das Kind!« sagte der Richter.

»Ich habe kein Recht darauf«, erwiderte der Teufel

sô sprach der tîvel sâ zestunt,
'si næme niht zwei tûsent pfunt,
165 daz si mirz alsô gunde,
daz ich michs underwunde –
ich næme ez gerne, möhte ich.'
    dô giengens alsô vür sich,
unz enmitten an den market.
170 der was alsô gestarket,
daz si dâ wâren alle gar,
die des tages wolden dar.
dâ begunden si stille stên.
dô begunde ein witwe zuo gên.
175 diu was beidiu siech und alt,
ir unkraft was manicvalt,
des was grôz ir ungehabe.
si gie vil kûme an einem stabe.
dô si den rihtære ane sah,
180 si begunde weinen unde sprach:
'wie was dir sô, rihtære,
daz du sô rîche wære
und ich sô arm bin gewesen,
und du niht trûwetest genesen,
185 dune habest mir âne schulde
und âne gotes hulde
mîn einigez küelîn genomen,
dâ ez allez von solde komen,
des ich armiu solde leben?
190 mirn ist diu kraft niht gegeben,
daz mir der lîp sô vil tüge,
daz ich darnâch gîgen müge,
dâ man mirz gebe durch got.
des enhâstu niht wan dînen spot!
195 nu bite ich got durch sînen tôt
und durch die grimmiclichen nôt,
die er an sîner menscheit
durch uns arme alle erleit,

unverzüglich, »nicht für zweitausend Pfund [165]
würde sie mir erlauben, es mitzunehmen – ich nähme
es wahrhaftig gerne, wenn ich könnte.«
So gingen sie vor sich hin bis in die Mitte des
Marktes. [170] Der war jetzt ganz voll, weil alle da
waren, die an diesem Tage hinkommen wollten. Dort
hielten sie an. Da kam eine Witwe herbei, [175] die
war krank und alt, und sie war so geschwächt, daß es
ein großes Unglück war. Sie konnte kaum noch an
einem Stock gehen. Als diese den Richter erblickte,
[180] fing sie an zu weinen und klagte: »Was dachtest
du dir dabei, Richter, der du so reich bist und ich so
arm, daß du gemeint hast, mir, grundlos und ohne
daß Gott dies gewollt hätte, unbedingt mein einziges
Kühlein wegnehmen zu müssen, [188] das der alleini-
ge Lebensunterhalt für mich arme Frau war? [190]
Mein Körper ist kraftlos und taugt nicht mehr dazu,
dort zu fiedeln, wo man mir um Gotteslohn ein
Almosen gäbe. Darüber spottest du nur! [195] Nun
bitte ich Gott bei seinem Tod und bei den qualvollen
Leiden, die er als Mensch für uns arme Sünder er-

daz er gewer mich armez wîp,
200 daz dîne sêle und dînen lîp
der tîvel müeze vüeren hin!'
dô sprach der tîvel wider in:
'der rede ist ernest, nu nim wâr!'
er greif in vaste in daz hâr
205 und begunde ze berge gâhen,
daz ez alle die ane sâhen,
die an dem market wâren.
im mohte diu vart wol swâren,
er muose kumberlîcher varn
210 danne daz huon mit dem arn.
dem tîvel wart von dannen gâch,
die liute sâhen im alle nâch.
ichn weiz, waz dâ nâch geschach,
dâ man in aller verrest sach.
215     dâ endet sich daz mære.
alsô was der rihtære
mit sige worden sigelôs:
er wânde vinden und verlôs.
ez ist ein unwîser rât,
220 der mit dem tîvel umbe gât;
swer gerne mit im umbe vert,
dem wirt ein bœser lôn beschert.
er kan sô manigen grimmen list,
daz er vil guote ze vürhten ist.

trug, mir armen Frau die Bitte zu erfüllen, [200] daß
der Teufel dich und deine Seele mit sich nehme!«
Da sprach der Teufel zum Richter: »Diese Rede ist
ernstgemeint, nun paß auf!« Er packte ihn fest an den
Haaren [205] und fuhr eilig in die Lüfte, so daß es alle
sehen konnten, die sich auf dem Markt aufhielten.
Dem Richter mochte die Reise wohl beschwerlich
werden, es erging ihm elender [210] als dem Huhn mit
dem Adler. Der Teufel eilte hinweg, die Leute blick-
ten ihm alle nach. Ich weiß nicht mehr, was später
geschah, als man ihn nur noch ganz in der Ferne
sah.
[215] Die Erzählung endet hier. Auf solche Weise
hatte der Richter einen Pyrrhussieg errungen: er
glaubte zu finden und verlor.
Es ist unklug, [220] sich mit dem Teufel einzulassen;
wer sich freiwillig mit ihm einläßt, wird schlimmen
Lohn empfangen. Der Teufel kennt so viele schreck-
liche Listen, daß man ihn sehr fürchten sollte.

Reden

Hie vor, dô man diu huote schalt
und des sumelich wirt sêre engalt,
daz er lie sîne hûsvrouwen
die geste gerne schouwen,
5 dô si ir triuwe übersach
und ir reht und ir ê zebrach –
daz hiez hôchgemuotiu minne.
hete sumelich wirt die sinne,
daz erz mit huote understuont,
10 als noch die wîsen gerne tuont,
den begunde man dô schelten
und liez in des engelten,
daz er was ein merkære.
daz er toup und blint wære,
15 des wünschete man im lange
mit rede und mit gesange.
dô si alsô tôren suohten,
die des an die vrouwen geruohten,
daz si ir triuwe verkurn
20 und gotes hulde verlurn,
dô quam manic gast an die stat,
dâ in ein wirt ze hûse bat
und in ze der vrouwen sitzen hiez
und in kurzwîle haben liez.
25 der wirt gie wider unde vuor
vür sîn tor und vür sîn tüer
und schuof dâ, swaz er wolde,
und swaz er schaffen solde.
die wîle er schuof umbe den gast,
30 daz im dâ nihtes gebrast,
die wîle warp er umbe daz wîp
und leidete ir des wirtes lîp.

### Die unbewachte Gattin

Einst, als man auf die *huote* schimpfte und jeder Gastgeber dafür büßen mußte, wenn er den Gästen erlaubte, seine Gattin anzuschauen, [5] weil diese nämlich dann ihre Treue geringachtete und das Eherecht brach – da sprach man von *hoher minne*. Hatte ein Herr die Absicht, die *huote* auszuüben, [10] wie es die vernünftigen Menschen immer getan haben, dann schimpfte man ihn aus und ließ ihn dafür büßen, daß er ein *merker* war. Man verfertigte Reden und Lieder, in denen man ihm wünschte, er solle taub und blind werden.

[17] Als man solche Narren suchte, die von ihren Frauen verlangten, die Treue zu mißachten [20] und damit Gottes Gnade zu verwirken, da kam gar mancher als Gast an Orte, wo ihn ein Herr bat einzutreten und sich neben seine Frau zu setzen, um Kurzweil mit ihr zu haben.

[25] Der Hausherr verließ dann sein Haus, trat vor Tür und Tor und ging der Arbeit nach, die er verrichten mußte.

Während er für den Gast sorgte, [30] daß ihm nichts fehlte, warb dieser um die Frau und vergraulte ihr

dô was ir zweier gerinc
iedoch ein ungelîchez dinc:
35  der wirt vleiz sich vil sêre,
daz er gemach und êre
sînem gaste dâ gevüegte,
sô belouc er unde rüegte
den wirt sô sêre wider sîn wîp,
40  daz si noch gerne sînen lîp
vil schiere tôten hæte gesehen,
denne im iht baz wære geschehen.
    sus huop er an unde sprach:
'vrouwe, mir ist daz ungemach,
45  daz ir unz her an dise zît
der vröuden vil gesûmet sît,
der ir wol wert wæret.
ir habet mich vil beswæret,
daz iuwer tugent dâ von zergânt,
50  daz si der minne niht enhânt,
diu billich sweimen solde
in vröuden, swâ si wolde.
ir habet leider einen man,
der der minne süeze niht enkan
55  gemachen sô manicvalt,
daz sich ieslich tugent mit gewalt
ze der vröude alsô gesinde,
daz man si stæte vinde
in der hœhe des muotes.
60  sô suoze und sô guotes,
des enwart nie niht – noch nimmer tuot –
sô liep, sô edel, sô guot,
sô diu hôhe tougen minne.
dâ ist sô grôze kraft inne,
65  daz si durch die sinne strîchet
und diu tugent alle rîchet.
si edelet die gebære,
si vertrîbet alle swære,

ihren Mann. Ihr beider Tun unterschied sich also
sehr: [35] Der Herr bemühte sich eifrig, seinem Gast
Bequemlichkeit und Aufmerksamkeit zuteil werden
zu lassen, während dieser über ihn Lügen verbreitete
und ihn so sehr vor der Frau anschwärzte, [40] daß sie
ihn lieber tot als lebend gesehen hätte.

So legte er los: »Herrin, ich bedaure sehr, [45] daß Ihr
bis jetzt so viele Freuden versäumt habt, für die Ihr
wohl geschaffen seid. Es macht mich traurig, daß
Eure Tugenden brachliegen, [50] weil ihnen die *min-
ne* fehlt, die sich eigentlich freudvoll dahinschwingen
sollte, wohin sie möchte. Zu meinem Bedauern habt
Ihr einen Mann, der der *minne* Süße nicht [55] so
entfalten kann, daß sich eine jede Tugend so unab-
änderlich zur Freude gesellt, daß man sie beständig in
Höchststimmung findet.

[60] So süß und so gut, so angenehm, so edel, so
schön ist nichts – und nie wird es so etwas geben –
wie die heimliche *hohe minne*. Ihre Kraft ist so groß,
[65] daß sie durch die Sinne streicht und alle Tugen-
den beherrscht. Sie veredelt das Wesen, sie vertreibt

si kan den gedanken êre geben,
70  si tiuret den lîp unde daz leben,
si ist der sælden vorlouf,
si gît an vröuden guoten kouf,
si lât gedenken, swes man wil –
und gît wol vierstunt alse vil;
75  si kan den man zieren
und daz herze furrieren
mit niuwen vröuden alle zît.
welt ir der rîcheit, die si gît,
einen ganzen hort gewinnen,
80  sô ruochet mich, vrouwe, minnen.
ich wil durch iuch wunder begân,
des ir immer vrum müezet hân.
ich mac niht als ich solde
gereden und als ich wolde;
85  ich sage iu, wâ von daz geschiht:
ich enhân der stæte leider niht.
des saget mir schier iuwern muot
und minnet mich! ez wirt sô guot,
daz ir die zît, swenne ez ergât,
90  vür alle hôhzît immer hât.
irn muget sus niht lange leben,
iu ist mit iuwerm manne vergeben!
ich mache iu hôchgemuotiu jâr,
ich mache iu lieht unde klâr
95  iuwer herze als einer gimmen glast.
ich mache iuch alles leide gast.
swenne ich in der minne hœhe
iuwer tugent gar gevlœhe,
dâ zeige ich iu der sælden vunt
100  und mache iu solche süeze kunt,
diu alle süeze übersüezet,
diu daz herze sô sêre grüezet,
daz ez alle sorgen vliuhet
und sich in die hœhe ziuhet,

alle Sorgen, sie verleiht den Gedanken Würde, [70] sie
macht Leib und Leben attraktiver, sie ist die Pforte
zur Seligkeit, sie schenkt hohen Gewinn an Freude,
sie führt die Phantasie, wohin man möchte – und sie
gibt von allem wohl viermal so viel; [75] sie schmückt
den Mann und erfüllt das Herz allzeit mit neuen
Freuden.
Wollt Ihr den Hort des Reichtums, den sie schenkt,
gewinnen, [80] dann, Herrin, gewährt mir Eure *min-
ne*. Um Euretwillen werde ich Wundertaten vollbrin-
gen, die Eurem Ruf nützen werden.
Ich vermag nicht zu sprechen, wie ich müßte und
wollte; [85] ich sage Euch, weshalb: mir fehlt Eure
Zusage. Entdeckt mir doch rasch Eure Gedanken
und gewährt mir Eure *minne*! Es wird so schön
werden, daß Ihr diese Zeit der Erfüllung [90] stets
über alle Feste stellen werdet.
Ihr könnt so nicht länger leben, Ihr seid mit Eurem
Mann bestraft! Ich schenke Euch Jahre voll höchsten
Glücks, ich mache Euer Herz licht und rein wie den
Strahl einer Gemme. [96] Ich halte alles Leid von
Euch fern. Wenn ich Eure Tugenden auf den Gipfel
der *minne* mitgerissen habe, dann zeige ich Euch
eine neue Seligkeit [100] und lerne Euch solche Wonnen
kennen, die alle Wonnen überzuckern und die das
Herz so sehr ausfüllen, daß es alle Sorgen flieht und
sich in jene Höhe aufschwingt, auf [105] der die *minne*

105 die diu minne bûwet und ir kint,
dâ si immer unerstîgen sint.'
    daz effen und daz triegen,
    daz klaffen und daz liegen,
    daz næme ein bœse wîp vür guot
110 und sagete danne ir bœsen muot
    ir ungetriuwen râtgeben,
    die ouch nach schanden kunnen leben;
    die kunnen ir daz wol râten,
    daz si selbe gerne tâten.
115     swelch vrouwe hât einen valschen lîp,
    diu wil bî ir hân ein valschez wîp,
    ob sis immer behalden kan –
    diu ist der vrouwen Salman,
    diu kreftiget si und stætet,
120 si vüeget ir und rætet
  a *unrehte vröude, swâ si mac.*
  b *si saget ir naht unde tac,*
    wie hövisch ir muot wære,
    wie si tanzen nie verbære,
    si kunde wol vröude machen!
    si saget ir von den sachen,
125 dâ si ir vrouwen mit betœret.
    swaz ze guoten dingen hœret,
    des wirt ir munt nimmer lût –
    des ist si gar ein vrouwen trût.
    dâ wider kan ich wol den rât,
130 der solhen dingen widerstât!
    swelch ritter hât ein valschez wîp,
    diu beidiu ir êre und ir lîp
    unreinet und unêret,
    der sî von mir gelêret:
135 alliu wîp, diu bî ir sint,
    si sîn alt oder kint,
    daz er die slâhe alle tage
    und in daz wærlîchen sage,

lebt mit ihren Kindern, die anders nicht erreichbar
sind.«
Dieses äffische und betrügerische Benehmen, dieses
Geschwätz und dieses Lügen, das hielte eine bösarti-
ge Frau für gut, [110] sie würde ihre schlechten Ab-
sichten ihren treulosen Ratgebern mitteilen, die wie
sie unehrenhaft leben; die können ihr gut zu dem
raten, was sie selbst gerne täten.
[115] Eine Dame, die voller Falsch ist, möchte bei
sich, wenn es irgend geht, genauso eine als Zofe
haben – diese ist der Dame Salomo, sie bekräftigt und
bestätigt ihre Gedanken, [120] sie verschafft ihr fal-
sche Freude und rät ihr dazu, wo sie nur kann. Tag
und Nacht erzählt sie ihr, wie höfisch ihre Gedanken
wären, und daß sie tanzen solle, sie verstünde doch,
Freude zu schenken! Sie erzählt ihr von Dingen, [125]
die ihre Herrin betören. Gute Dinge kommen nicht
aus ihrem Mund – sie ist eine typische Zofe.
Dagegen weiß ich ein Mittel, [130] das so etwas
verhindert! Ein Ritter, der eine Frau voller Falschheit
hat, die Leib und Ehre befleckt und schändet, der
höre meine Lehre:
[135] Alle Frauen, die sich bei ihr aufhalten, alte und
junge, soll er jeden Tag prügeln, und er soll ihnen

si sîn im âne triuwe
140  und macheten im solche riuwe,
daz im lieber wære der tôt
denne diu grôze tegeliche nôt.
sô sprechent si spâte unde vruo
ir vrouwen weinende zuo:
145  'wir enmugen niht bî iu genesen,
irn wellet danne rehte wesen.
unser herre ist uns durch iuch gehaz!
nu gelernet ouch an uns daz:
swie schiere er uns erslagen hât,
150  daz er danne über iuch selben gât.
sô geschiht iu, als uns ist geschehen.
ir muget wol hœren unde sehen,
er ist mit dem tîvel behaft!
nu vürhtet sîne meisterschaft
155  und volget unserm râte,
ode ir vürhtet in ze spâte.'
   sô man die selben wârheit
ze allen zîten vor ir seit,
und si wol hœret alle tage,
160  vil grôze unvröude unde klage
und deheine vröude hœret,
daz zevüeret und zestœret
ir ungetriuwen übermuot –
swie ungerne si ez tuot.
a    *ein lewe hât vorhte dar zuo,*
b    *swie ez im doch niht wê tuo,*
165  daz man im bliuwet vor den bern.
ez muoz ouch eine vrouwen swern,
daz man ir bliuwet vor ir wîp –
daz leidet ir leben unde lîp.
   swelch man sîn wîp des erlât,
170  daz si der vor ir niht enhât,
die ir râten ode die si lêren
wider ir triuwe ode wider ir êren,

deutlich erklären, sie verhielten sich ihm gegenüber treulos [140] und machten ihm solche Sorgen, daß er lieber sterben würde als täglich dieses große Leid zu ertragen. Dann werden sie von früh bis spät ihrer Herrin klagen: [145] »Wir können nicht länger bei Euch bleiben, wenn Ihr kein rechtschaffenes Leben führen wollt. Unser Herr haßt uns Euretwegen! Lernt daran, wie es uns ergangen ist: sobald er uns totgeschlagen hat, [150] wird er über Euch herfallen. Dann ergeht es Euch so, wie uns. Hört und seht doch, er ist vom Teufel besessen! Fürchtet seine Herrschaft [155] und folgt unserem Ratschlag, oder Eure Furcht kommt zu spät.«

Wenn man ihr dies immer wieder vorträgt und bezeugt, [159] und sie zu jeder Zeit von großer Trauer und Klage hört, aber von keiner Freude, dann wird ihr treuloser Hochmut gebrochen und vernichtet – wie schwer ihr dies auch fallen wird.

Ein Löwe fürchtet seinen Herrn, obwohl es ihm nicht weh tut, [165] daß man die Bären vor ihm schlägt. Es wird auch eine Dame bekümmern, daß man ihre Frauen vor ihr schlägt – dies macht ihr Leib und Leben verhaßt.

Ein Mann, der seiner Frau verwehrt, [170] sich mit Leuten zu umgeben, die ihr raten, gegen Treue und Ehre zu verstoßen, der sollte auch verhindern, daß

der sol ouch daz gerne understân,
daz die werbære zuo ir gân,
175 die der hövischære boten sint
und dem tîvel mêrent sîniu kint.
dar nimmer weder wîp noch man
mit botschefte komen kan,
dar kumt ein unholde
180 mit silber oder mit golde.
diu sol ein vürköuferinne sîn,
guotiu heftel und guotiu vingerlîn,
diu treit si veile an ir hant;
si treit rîsen unde krâmgewant
185 und twehel unde tischlachen.
dâ mit kan si machen,
daz man si ze der vrouwen lât.
sô si dâ, swaz si veiles hât,
die liute lâzet schouwen,
190 sô wirt si mit der vrouwen
vil tougelîche redehaft
und wirbet solhe botschaft,
der der wirt vil gerne enbære.
weste er diu rehten mære,
195 er würde dar umbe zornvar.
sô gît si ir einen brief dar.
den liset daz vil tumbe wîp
sô dicke, unz daz si ir selber lîp
einem andern man erworben hât.
200    ez ist ein grôziu meintât,
dar nâch die tîvelinne jagent,
die solhen kouf den vrouwen tragent.
ez sint verrâtærinne,
die der triuwelôsen minne
205 vil vüegent durch die miete.
der die selben sô beschriete,
daz si niht lüste ze leben,
daz læge vil wol und eben.

die Werber zu ihr kommen, [175] die der Höflinge
Boten sind und des Teufels Kinder mehren.

Was jemand mit einer schönen Botschaft nicht aus-
richten kann, das erreicht eine Hexe [180] mit Gold
und Silber. Sie tritt als Verkäuferin auf, herrliche
Agraffen und prächtige Ringe hält sie in ihrer Hand
zum Verkauf feil; sie trägt Schleier und Kleiderstoffe,
[185] Tücher und Tischdecken bei sich. So erhält sie
Einlaß bei der Herrin. Während sie nun dort das
Gesinde anschauen läßt, was sie anzubieten hat, [190]
fängt sie mit der Herrin ein vertrauliches Gespräch an
und richtet eine Botschaft aus, auf die der Hausherr
ganz gut verzichten könnte. Wüßte dieser, was da
eigentlich vor sich geht, [195] dann würde er wü-
tend.

Sie überreicht ihr auf solche Weise also einen Brief.
Diesen liest die törichte Frau so oft, bis sie sich selbst
einem andern Mann überantwortet hat.

[200] Es ist eine böse Untat, auf die diese Hexen aus
sind, die den Damen solche Waren bringen. Sie sind
Verräterinnen, die um Lohn der treulosen *minne* viel
zukommen lassen. [206] Jeder, der sie durch öffentli-
ches Ausschreien so anklagte, daß ihnen die Lust am
Leben verginge, der verhielte sich gut und ange-
messen.

swelch vrouwe daz niht hât vür guot,
210 ob si ir man hât wol behuot,
diu enist niht der besten eine.
ein vil rehtiu und ein vil reine,
diu nimet die huote vür vol.
ir tuot daz in ihr herzen wol,
215 daz si beziuget mit ir man,
daz si niemen niht gezîhen kan.
swelch wîp wil valsch vermîden,
diu mac wol huote lîden.
swelch vrouwe ir êren hüeten wil,
220 die endûhte der huote niht ze vil,
die ir al die liute bæren,
die in der werlde wæren.

## 23

Swelch gast daz hât vür hövischeit,
ob einem wirte ein herzeleit
von sînem hövischen lîbe
geschæhe an sînem wîbe,
5 dâ wider wære ouch daz vil sleht,
tæte der wirt dem gaste sîn reht
und erzeigete im diu mære,
wes sîn hövischeit wert wære.
swenne er dâ ze tische sæze
10 und gerne trunke und æze,
sô wære daz vil gevüege,
daz man vür in trüege
edele bluomen, loup unde gras,
daz ie der hövischære vröude was,
15 und einen vogel, der wol sunge,
und einen brunnen, der wol sprunge
under einer schœnen linden:

Eine Dame, die es für unpassend hält, [210] daß ihr
Mann sie unter die *huote* stellt, die ist nicht gerade
eine von den Besten. Eine rechtschaffene und keu-
sche Frau erkennt die *huote* voll an. Sie freut sich in
ihrem Herzen, [215] damit ihrem Mann bezeugen zu
können, daß ihr niemand etwas anzuhängen ver-
mag.
Eine Frau, die die Falschheit meiden möchte, kann
die *huote* gut ertragen. Eine Frau, die ihren guten
Ruf wahren möchte, [220] die hielte eine *huote* nicht
für übertrieben, die ihr die ganze Menschheit zuteil
werden ließe.

# 23
# Der Höfling

Hält es ein Gast für hoffähig, daß durch sein elegan-
tes Auftreten einen Herrn ein tiefer Schmerz wegen
seiner Gattin trifft, [5] so wäre dagegen zu empfeh-
len, daß dieser durch das Gastrecht deutlich machte,
was das elegante Auftreten wirklich wert wäre. Wenn
der Gast am Tisch sitzt [10] und gerne trinken und
essen würde, wäre es angebracht, ihm edle Blumen,
Laub und Gras aufzutragen, die stets der Höflinge
Freude waren; [15] dazu einen Vogel, der herrlich
singen, einen Quell, der hübsch springen könnte
unter einer schönen Linde: so könnte er wohl sehen,

sô möhte er wol bevinden,
wie grôze vröude ez allez gît,
20 dâ von er singet alle zît.
ern næme niht einen grûz,
daz er kumpost ode kabûz
an sînem sange nante
und solich ungevuoge erkante –
25 und næme ez danne in den munt,
daz wære noch bœser tûsentstunt;
man solz an bluomen kêren.
    alsô solde ein wirt êren
einen hövischen gast mit spîse;
30 sô würde er sô wîse,
daz er weste diu mære,
waz er würbe ode wer er wære.
quæme der gast in der vrist,
sô der bluomen zît niht enist,
35 sô solde der wirt sprechen:
'ir welt iuwer hövischeit brechen,
daz ir nu suochet deheinen wirt,
die wîle man der bluomen enbirt.
ir sult niht wan der bluomen leben,
40 die mac iu niemen nu gegeben,
des sult ir nu verborgen sîn
sam diu wol singenden vogelîn,
und sult komen in der zît
diu loup und grüene gras gît.
45 ez ist ein grôziu unmâze,
daz ir rîtet sam die vrâze
in deheinen hof, dâ küe stânt,
und diu swîne ir kerren niht lânt.'
    man sol den hövischære vinden
50 bî dem walde und bî der linden:
dâ solde ein hövischære stæte sîn,
und hieze ein kleinez vogelîn
sîner vrouwen sagen diu mære,

welche große Freude dies alles schenkt, [20] wovon er
allezeit singt. Er würde kein bißchen von all dem
nehmen können, was er Sauerkraut oder Kohl in
seinem Lied genannt und als unschicklich verworfen
hatte – [25] sollte er es gar in den Mund nehmen
müssen, das wäre noch tausendmal schlimmer: Man
solle sich an die Blumen halten.

Auf diese Weise sollte ein Herr seinen höfischen Gast
ehrenvoll bewirten; [30] dieser würde dann wohl
einsehen, was er anrichtet und wer er eigentlich ist.
Käme der Gast aber zu einer Zeit, in der es keine
Blumen gibt, [35] so sollte der Herr erklären: »Ihr
beachtet die Hofsitte nicht, daß Ihr zu einer Zeit
einen Herrn aufsucht, in der keine Blumen blühen.
Ihr lebt doch nur von den Blumen, [40] aber die kann
Euch jetzt niemand geben, deshalb müßt Ihr Euch
nun verbergen wie die kleinen Singvögelein, und
dürft erst in einer Jahreszeit wiederkommen, die
Laub und grünes Gras schenkt. [45] Es ist außer-
ordentlich ungehörig, daß Ihr wie die Freßsäcke auf
irgendeinen Hof reitet, in dem Kühe stehen und die
Schweine nicht aufhören zu grunzen.«

Der Höfling gehört [50] an den Waldesrand und unter
die Linde: dort sollte er sich stets aufhalten und ein
kleines Vögelein beauftragen, seiner Dame auszu-

daz ir niemen holder wære.
55  er solde sîner vrouwen
bî dem walde und bî der ouwen
in dem vogelsange bîten.
er solde niht neisen rîten
in ieslichen küestal.
60  ein sû und ein nahtegal,
die singent ungelichen sanc.
ein hövischære ist gar ze kranc,
der sîn selbes sô vergizzet,
daz er einen rinderînen brâte izzet.
65  ein hövischære solde selbander
an einem jungen galander
ein wochen haben wirtschaft.
hât sîne minne sô ganze kraft,
im machet einer lerchen vuoz
70  eines grôzen hungers buoz.
    swelch wirt sô biderbe wære,
daz er einem hövischære
sîner hövischeit kunde lônen,
des begunde der hövischære schônen
75  und ensuochte in niht an tôren stat.
er würde der bluomen sat,
swenne ers im zeinem mâle hæte gegeben.
swie lange si beide solden leben,
daz er si dâ niht mêre suohte
80  und sînes wîbes niht enruohte.
    swelch minnære alsô minnet,
daz im von minne brinnet
sîn herze in sînem lîbe
nâch eines andern mannes wîbe,
85  der hât der hitze gar ze vil.
swer im dar zuo geben wil
guoten pfeffer und guoten wîn,
sô muoz im deste heizer sîn.
swer im wil lengen sîn leben,

richten, daß keiner ihr geneigter wäre. [55] Er sollte
seine Dame am Waldesrand und auf der grünen
Wiese im Vogelsang erwarten. Er sollte nicht als
Plage in jeden Kuhstall reiten. [60] Eine Sau und eine
Nachtigall singen ein ungleiches Lied.

Ein Höfling, der sich selbst dermaßen vergißt und
einen Rinderbraten verzehrt, ist ziemlich herunterge-
kommen. [65] Ein Höfling sollte zu zweit eine Woche
lang an einer jungen Lerche schmausen können. Ist
seine *minne* stark genug, dann reicht wohl auch ein
Lerchenfüßchen aus, [70] seinen Hunger zu stillen.

Ein Höfling wird einen Herrn, der rechtschaffen ist
und ihm sein höfisches Verhalten heimzahlt, meiden
und nicht mehr in der Hoffnung, einen Dummkopf
zu treffen, aufsuchen. [76] Er würde der Blumen
überdrüssig, wenn der Herr sie ihm serviert hätte.
Solange der Herr und die Dame lebten, würde er sie
nicht mehr aufsuchen [80] und die Frau begehren.

Ein Liebhaber hat zu viel Hitze, den es dermaßen
zum Minnedienst drängt, daß ihm das Herz aus
*minne* nach der Frau eines anderen Mannes ent-
flammt. [86] Wer ihm zusätzlich scharfen Pfeffer und
süßen Wein verabreicht, macht ihn noch hitziger.

90  der sol im kaltez wazzer geben,
    daz kan der hitze widerstân.
    diu selbe hitze ist sô getân:
    si kumt von dem helleviure
    und von des übelen tîvels stiure.
95  dâ sol ein wirt merken bî,
    waz einem hövischære guot sî:
    sît im ze heize doch geschiht,
    sô mêre im sîne hitze niht!
    diu spîse, dâ mit er mac genesen,
100 diu sol in kalter wîse wesen,
    diu die hitze sô wol entrenne,
    daz si in niht gar verbrenne.

Wem an seinem Leben liegt, [90] der sollte ihm kaltes
Wasser geben, das kommt gegen die Hitze an.
Die Hitze, von der die Rede ist, ist folgendermaßen
beschaffen: sie stammt vom Höllenfeuer und ist eine
Gabe des bösen Teufels. [95] Im Hinblick darauf
sollte ein Herr beachten, was für einen Höfling gut
ist: weil ihm zu heiß ist, vermehre seine Hitze nicht!
Das Essen, das er braucht, [100] muß kalt sein, um die
Hitze zu vertreiben, damit sie ihn nicht ganz ver-
brennt.

# Anhang

# Zum mittelhochdeutschen Text

## Die Handschriften

Mittelalterliche Dichtungen, so auch die des Stricker, sind im allgemeinen nicht im Original, sondern nur in späteren hs. Aufzeichnungen überliefert. Ihr Verhältnis zu den Originalen ist nur noch mühsam und kaum mit letzter Sicherheit zu rekonstruieren – die philologische Pionierarbeit für die Strickeriana hat Konrad Zwierzina zu Anfang unseres Jahrhunderts (s. Kraus, 1926, S. 279–287, und hier S. 11, Anm. 15) geleistet, dessen Nachlaß die Universität Graz verwahrt. Er hat das für die Folgezeit verbindliche (»echte«) Strickerkorpus aus all jenen Texten herausgeschält, die man dem Dichter im Mittelalter (unkritisch) zuschrieb – eine Arbeit, die heute gewiß revisionsbedürftig ist; doch braucht dies bei unserer Auswahlausgabe nicht geleistet zu werden. Die Stilistik ist als Selektionskriterium nicht mehr unumstritten, zumal sie in dieser Funktion dem geistesgeschichtlichen Dogma der Einheitlichkeit unterworfen ist. Auf Zwierzina gehen die jetzigen Signaturen zurück. Für einen verläßlichen Abdruck der Texte, der sich eng an die Hss. hält, können wir heute auf die fünfbändige Ausgabe, die unter Leitung von Wolfgang W. Moelleken (1973–78) veranstaltet wurde, zurückgreifen. In Bd. 1 hat Moelleken die einzelnen Textzeugen ausführlich beschrieben und die einschlägige Forschungsliteratur verzeichnet (Ergänzungen in Bd. 5; vgl. auch die Einleitungen in Fischer/Janota, 1973, und Schwab, 1958, sowie Mihm, 1967, S. 35–40, 47–61, 64–70, 96–104, und Grubmüller, 1977).

Der wichtigste und reichhaltigste Überlieferungsträger ist die in einem bairischen Idiom, wahrscheinlich von fünf Schreibern verfaßte Hs. A (Österreichische Nationalbibliothek Wien: Codex Vindobonensis 2705, um 1260/90; Menhardt, 1960), die im allgemeinen – und so auch hier – als Leit-Hs. gewählt wird und dem Original wohl ziemlich nahekommt. Eleganter und sprachlich flüssiger formuliert bisweilen die ostmitteldeutsch schreibende Hs. H (Universitätsbibliothek Heidelberg: Cod. Pal. Germ. 341, um 1320/30; Rosenhagen, 1909), der K (Bibliotheca Bodmeriana, Cologny-Genève: Kalocsa I, um 1320/30) im wesentlichen folgt. Überlegungen, ob die Differenz beider Kodizes auf Autorvarianten zurückgeht (vgl. Fischer/Janota, S. XIV f.), sind nicht plausibel, setzte dies doch

eine planvolle Modernisierung bzw. Umstilisierung des gesamten
Textmaterials durch den Autor voraus.

Von den sonst in unserem Bändchen genannten Hss. gebe ich nur
die Datierung an: B (1393), C (Anf. 16. Jh.), E (Mitte 14. Jh.), F
(15. Jh.), I (1456), K (1320/30), L (um 1430), M (Mitte 14. Jh.), N
(14. Jh.), Q (1459), V (1423), W (1380/90), b (1320), f (14. Jh.),
n (14. Jh.), q (1422), s¹ (14. Jh.), s² (15. Jh.), cc (2. Hälfte 14. Jh.).

In der Regel wähle ich für die Texte die ihnen von der germanisti-
schen Forschung verliehenen Titel, so problematisch und offensicht-
lich dem Ganzheitsgedanken der Geistesgeschichte verpflichtet diese
auch sein mögen; die wenigen stärkeren Abweichungen (Nr. 22 und
23) sind an Ort und Stelle begründet. Die zeitgenössischen Titel sind
im Anhang (normalisiert) verzeichnet, die Leit-Hs. A enthält keine
Überschriften.

## Die Edition

In Hinblick auf das Zielpublikum, das sich nicht nur aus germani-
stisch spezialisierten Leserinnen und Lesern zusammensetzt, halte
ich für die vorliegende Ausgabe eine graphische, phonetische und
formale Vereinheitlichung der Texte nach kritischen Prinzipien aus
Gründen der besseren Lesbarkeit für zwingend notwendig. (Vgl.
einführend: W. Schröder, »Editionsprinzipien für deutsche Texte
des Früh- und Hochmittelalters«, in: Werner Besch [u. a.] (Hrsg.),
*Sprachgeschichte*, Berlin / New York 1984, S. 682–692.) Ich habe
deshalb und weil es ohnehin keine zitable kritische Gesamtausgabe
des Strickerkorpus gibt, einen »eigenen« Text erstellt, der – nach
einigen Vorüberlegungen und Verwerfungen – im wesentlichen den
Vorgaben folgt, die Hanns Fischer in Band 53 der »Altdeutschen
Textbibliothek« für seine Ausgabe der Mären entwickelt hat. Seine
Edition kommt der traditionellen Grammatik am nächsten, was
nicht zuletzt unabweisbare pädagogische Vorteile hat. Es galt also,
Hs. A von ihren bairischen Eigentümlichkeiten zu entlasten und in
sensibler Rekonstruktion in Richtung eines normalisierten Textes,
eines Ur-A (*A), zu entwickeln. Eine solche Rekonstruktion von
*A bedarf gelegentlich der Besserung – meist durch H, aber auch
anderer Überlieferungsträger –, allerdings, bei Akzeptanz einer
gewissen Sprödigkeit, weniger häufig als gemeinhin angenommen.
Die vorliegende Ausgabe hat keinen ausführlichen kritischen Appa-

rat, es wurde hier nur aufgenommen, was für Rekonstruktion und Rezeption der Texte bemerkenswert erschien.

Eine historische Rekonstruktion wird subjektive und zeitgebundene Momente bei der Auswahl der Varianten nicht ausschalten können, denn sie untersteht den Diktaten der Gefälligkeit und Plausibilität. Dies sind auch Diktate der Moderne, die es jedoch zu akzeptieren gilt, wenn die Texte überhaupt rezeptionsfähig gemacht werden sollen. Die neuerdings in Mode gekommenen unkritischen sogenannten handschriftennahen Abdrucke sind nicht originalgetreuer, denn sie schieben die Rekonstruktionsprobleme und damit die Verantwortung für den Text bloß auf den Handschriftenschreiber ab. Man entschuldigt sich zwar gerne, man hätte dann wenigstens einen »historischen« Zeugen, doch was mag das für ein »Zeuge« sein, der so vielleicht nie realisiert wurde und in den meisten Fällen auch nicht unmittelbar auf das Original zurückgeht?

Alle einzelnen Selektionsentscheidungen begründen zu wollen, wäre im Rahmen dieses Bandes zu aufwendig: für eine vertiefte kritische Arbeit sei deshalb noch einmal auf die Ausgabe von Moelleken, die ich dankbar benutzt habe, und auf die kritischen Editionen von Fischer (dem Janota bei Verbesserung einiger Kleinigkeiten im wesentlichen folgt) und Schwab verwiesen. Hs. Inkonsequenzen habe ich eher als die beiden letzteren akzeptiert und A noch stärker als sie zur Grundlage der Rekonstruktion herangezogen.

Von den nicht wenigen Ausgaben einzelner Texte sind mit Ausnahme der Pionierausgabe von von der Hagens *Gesamtabenteuer* (GSA) nur die neueren von Mettke (Me.), Fischer/Janota (F.) und Schwab (Schw.) sowie die Abdrucke von Moelleken (M.) berücksichtigt. Vollständigkeit ist hier wie bei den Übersetzungen nicht angestrebt.

Folgende Standardisierungen wurden (im Anschluß an Fischer) gewählt:

*Graphische Standardisierung.* *e* ist seinem Lautwert entsprechend wiedergegeben (also bisweilen als *ä* oder *æ*), ebenso bairisches *ai* als *ei*. *u* und *v*, *i* und *j* (gelegentlich *g* für *j*), *s* und *z* werden ebenfalls nach ihrem Lautwert geschieden, ausgespartes *v/u* vor, bisweilen nach *w* ist ergänzt. Labiale Affrikata ist (nicht *ph*, sondern) stets *pf* geschrieben, die Schreibungen von *z*, *c* und *k/ck* sowie *v* und *f* folgen dem durch die historische Grammatik festgelegten üblichen Schema. Langvokale sind durch Zirkumflex gekennzeichnet, in Zweifelsfällen (z. B. -*lich* vs. – *lîch*) entscheiden grammatische und metrisch-rhythmische Rücksichten. Diese entscheiden auch bei der Auflösung einiger Abkürzungen (z. B. *unde* vs. *und*, wobei ich häufiger als F. *unde* gewählt habe). Interpunktion und Abschnittgliederung sind unter Berücksichtigung der Vorgaben des mhd. Textes (Initialen) modernisiert, Groß- und Kleinschreibung, Worttrennung und -verbindung sind vereinheitlicht. Offensichtliche Verschreibungen sind stillschweigend gebessert, größere Fehler (z. B. hs. fehlende oder falsch eingesetzte Wörter) durch Kursivdruck kenntlich gemacht.

*Lautliche Standardisierung – Vokalismus.* Die Diphthonge *uo*, *üe* und *ie* werden, sofern in der Hs. einer ihrer Bestandteile fehlt, voll ausgeführt; hierbei ist die Umschrift von *u*, das nur gelegentlich durch übergeschriebene Buchstaben markiert ist, zu *uo* oder *üe* nach den Gesichtspunkten von Reim und Grammatik standardisiert (so steht z. B. für hs. *gevuge gevüege*, aber für hs. *gut guot*). Die Diphthongierung von *î* und *û* ist wieder rückgängig gemacht. Umlaute sind dann ausgeführt, wenn es nach mhd. Standard notwendig erscheint. Apokope und Synkope von *e* sind im allgemeinen rückgängig gemacht – außer bei Enklise von *-er*, *-ez* und *-es*, wenn viersilbige Takte entstanden wären und im Präteritum nach langem Stammvokal (*vrâgte* vs. *sagete*). Synkope von *i* wird dagegen nur in den Suffixen *-ic* und *-isch* zurückgenommen. Überschießendes *e* ist getilgt, auch in den Imperativen der starken Verben. Abgeschwächtes *-ie* ist auf *-iu* zurückgeführt, ebenso bisweilen *i* vor *w* auf *iu* (z. B. *triuwe* vs. *triwe*).

*Lautliche Standardisierung – Konsonantismus.* Bairisches *ch* wird zu *c(k)* normalisiert. Nach langem Vokal wird Doppelkonsonanz vereinfacht, und Mehrfachkonsonanz wird dem Lexikongebrauch angepaßt (z. B. *rtz* vs. *rz*). *riter/rîter*, *ritter* sind zu *ritter* vereinheitlicht, abweichende hs. Schreibweisen/Formen aber jeweils unter der Rubrik »Zur Textgestalt« angegeben (vgl. Reiner Hildebrandt, »*rîter* versus *ritter?*«, in: Kurt Gärtner / Joachim Heinzle (Hrsg.), *Studien zu Wolfram von Eschenbach. Fs. für Werner Schröder zum 75. Geburtstag*, Tübingen 1989, S. 33–49). Schwankender Gebrauch von *d/t* nach *n* und *l* ist (anders als bei F.) nicht zu *d* vereinheitlicht, da dabei gelegentlich ungewöhnliche Formen entstünden; nur *solde* und *wolde* sind, weil die üblichen Formen, vereinheitlicht. Auch durch Apokope möglicherweise eingetretene Auslautverhärtung ist, wenn die Apokope rückgängig gemacht wird, nicht im Sinne F.s vereinheitlicht (*ich behalt > ich behalde*). Die klassische Auslautverhärtung ist beibehalten.

*Formale Standardisierung.* Auch hier wird gegen die Hs. nur geändert, wo es zwingend notwendig erscheint, namentlich bei Anglei-

chung der Reime. Die Doppelformen der mit *ie- (nie-)* zusammen-
gesetzten Pronominalsubstantiva, -adjektiva und -adverbien sind
nicht immer (wie bei F.) zugunsten der *ie-* (gegen die *i-*) Form
vereinheitlicht; z. B. bleiben hs. *(n)immer* und *nie mêr(e)* erhalten.
Auch auf einige andere Vereinheitlichungen ist verzichtet; so werden
die kontrahierten Formen von *haben* nicht wie bei F. auf die *â-*
Varianten reduziert, jedoch sind im Präteritum Indikativ (*hete*) und
Konjunktiv (*hæte*) geschieden. Das Pronomen der 3. Pers. Sing.
Fem. und Plur. Mask./Fem. ist zu *si* vereinheitlicht. Getrennt sind
das Adverb *danne/dannoch* (vs. hs. z. T. *denne/dennoch*) und das
komparative *denne*. Von *komen* werden die überregionalen Formen
gewählt (Mhd. Gr., § 248, Anm. 1). Bevorzugt sind: *ez* gegenüber
*iz*, *-ære* gegenüber *-er*, *-est* gegenüber *-ist*, *-ic/-isch/-ikeit/* gegenüber
den entsprechenden Formen mit *e*, *deiswâr* gegenüber *dêswâr*,
*-lîche/-liche* gegenüber *-lîchen/-lichen* (vgl. Mhd. Gr., § 206), *-(e)te*
im Präteritum schwacher Verben gegenüber *-et*, *ge-* gegenüber *gi-*;
dabei ist *-er* dann nicht auf *-ære*, das sich auf den Reim zurückzieht,
erweitert, bleibt also wie hs. ausgeführt, wenn dies metrisch bedenk-
lich gewesen wäre.
Einige nur singuläre Standardisierungen oder Änderungen, die hier
nicht erwähnt sind, folgen dem »Lexer« oder sind an Ort und Stelle
unter dem Abschnitt »Zur Textgestalt« vermerkt. Die Zitate aus
abweichenden Hss. sind im Regelfall normalisiert.

# Zur Übersetzung

Die Übersetzung möchte im Hinblick auf das Zielpublikum zwar gut, aber nicht um jeden Preis flüssig lesbar sein, und sie versucht deshalb zwischen der »wörtlichen« und der »freien« Variante eine akzeptable Balance zu halten. Die Verse sind in Prosa aufgelöst, auch optisch. Der Reiz des Erzählens sollte für den interessierten Laien nicht gewaltsam durch eine allzu penible »Wörtlichkeit« zerstört werden. Dem Kenner bleibt der Reiz, der Freiheit des Übersetzers nachzuspüren, dem, der es werden möchte, die Anstrengung, sich selbst zur Wörtlichkeit zu erziehen und dadurch seine Lesefähigkeit mhd. Texte zu erhöhen; beiden: die große Frage Schleiermachers, wie weit der Übersetzer sein Publikum dem Schriftsteller entgegenzubewegen habe (s. Otfrid Ehrismann, »›Reken, welches man hier zu Land unedel genug von Haushunden braucht.‹ Romantische Kontroversen zur Übersetzung altdeutscher Dichtung«, in: Fs. für Heinz Engels, Göppingen 1991, S. 83 bis 104).

Um mein Ziel zu erreichen, habe ich substantivische Konstruktionen, die so typisch für die mittelalterliche Dichtung sind, häufig verbalisiert, habe die für den mhd. Erzählfluß zahlreichen *dô* und *dâ* reduziert oder durch *und* ersetzt, habe das oft wiederholte *sprach* variiert und fortlaufend erzählt. Andererseits sollte der alte Text nicht zu sehr geschönt werden, deshalb wurde mit Variationen zurückhaltend verfahren, und die nicht seltene unverbundene Reihung von kurzen Sätzen wurde nicht zugunsten einer eleganteren Stilistik aufgegeben. Die mittelalterlichen Anredeformen, deren Besonderheiten, also etwa *ir* statt *Sie*, beibehalten wurden, sind manchmal nicht mit jener Konsequenz gebraucht, die wir heute für wünschenswert halten; hier habe ich, wie schon im kritischen Text, nicht vereinheitlicht. Matthias Lexers *Mittelhochdeutsches Wörterbuch* (1869–78) ist mit einiger Distanz benutzt, so groß die Verpflichtung ihm gegenüber auch bleibt.

In der Erkenntnis, daß *ein* Wort das Gemeinte oft nicht treffe, wählen manche Übersetzer eine weitläufige Umschreibung. Dies habe ich vermieden, nicht nur, weil es oft hölzern und trocken wirkt, sondern auch, weil es im Grunde nicht weiterführt und ein offener Sinn manchmal unnötig eingeschränkt wird.

Einige Begriffe sind sehr kontextspezifisch gebraucht und z. T. nur im Rahmen der mittelalterlichen höfischen Kultur (einführend:

Joachim Bumke, *Höfische Kultur. Literatur und Gesellschaft im hohen Mittelalter*, München 1986) zu definieren, die eine hohe Kultur der Erotik und der Ehre ist: etwa *minne*, *êre*, *hôher muot*, *ritter* und *vrouwe*. *minne* als ›höfische Liebe‹, wie sie der Stricker im Rahmen seiner Hofkritik entlarvt, wäre durch ›Liebe‹ nicht zu treffen, das zu sehr auf die private persönliche Beziehung eingeschränkt bliebe und den Bezug auf die Öffentlichkeit nicht mehr deutlich machte, der die Minne in die höfische Interaktion einbettet (vgl. Harald Haferland, *Höfische Interaktion. Interpretationen zur höfischen Epik und Didaktik um 1200*, München 1988). *êre*, die das auf Besitz und Leistung beruhende Ansehen in der Feudalgesellschaft bezeichnet, wurde dagegen als ›Ehre‹ übertragen, obwohl deren Wende zur Verinnerlichung noch nicht mitgedacht werden sollte. Der *hôhe muot*, jene durch *êre* und *minne* erreichbare Hochstimmung des Ritters, soll durch ›hoher Sinn‹ umschrieben werden. *ritter* und *vrouwe*, ›Ritter‹ und ›Dame‹, sind die Träger der höfischen Gesellschaft, deren Ethik nach dem Vorbild der antiken Stoa auf *zuht*, *mâze* und andere hohe Tugenden ausgerichtet ist und die das *wünnecliche leben*, die *vröude*, dem Alltagsleben entgegensetzt; *vrouwe* wird jedoch oft nur als gehobene Anredeform verwendet (›Herrin‹, aber sicherlich auch schon ›Frau‹).

# Abkürzungen

Die gebräuchlichen grammatischen und allgemein übliche Abkürzungen sind nicht verzeichnet.

| | |
|---|---|
| AT | Antti Aarne / Stith Thompson: The Types of the Folk-Tale. A classification and bibliography. Helsinki 1961. |
| ATB | Altdeutsche Textbibliothek |
| Beitr. | Beiträge zur Geschichte der deutschen Sprache und Literatur |
| EH | Europäische Hochschulschriften |
| EM | Enzyklopädie des Märchens. Bd. 1 ff. Berlin / New York 1990 ff. |
| F. | Fischer/Janota (Hrsg., 1973) |
| Fs. | Festschrift |
| GSA | Gesamtabenteuer (s. von der Hagen, 1850) |
| Hrsg., hrsg. | Herausgeber, herausgegeben |
| Hs., hs. | Handschrift, handschriftlich (»hs.« bzw. »Hs.« bezieht sich im Anhang auf Hs. A) |
| Lexer | Matthias Lexer: Mittelhochdeutsches Handwörterbuch. 3 Bde. Leipzig 1872–78. Neudr. Stuttgart 1970. |
| M. | Moelleken/Agler Beck/Lewis (Hrsg., 1973–77) |
| mhd. | mittelhochdeutsch |
| Me. | Mettke (Hrsg., 1959) |
| Mhd.Gr. | Hermann Paul: Mittelhochdeutsche Grammatik. 23. Aufl. Neu bearb. von Peter Wiehl und Siegfried Grosse. Tübingen 1982. |
| MLL | Metzler-Literatur-Lexikon: Begriffe und Definitionen. Hrsg. von Günther und Irmgard Schweikle. 2. Aufl. Stuttgart 1990. |
| RL | Reallexikon der deutschen Literaturgeschichte. Begr. von Paul Merker und Wolfgang Stammler. 2. Aufl. von Werner Kohlschmidt und Wolfgang Mohr. 4 Bde. Berlin 1958–84. |
| Schw. | Schwab (Hrsg., 1983) |
| SM | Sammlung Metzler |
| WdF | Wege der Forschung |
| ZfdA | Zeitschrift für deutsches Altertum und deutsche Literatur |

# Bibliographie

Es wird nur die mehrfach zitierte und/oder in die Texte des Stricker einführende Literatur aufgeführt. Weitere Angaben finden sich in den Anmerkungen zur Einführung und im Anhang.

## *Textausgaben und Übersetzungen*

Hagen, Friedrich Heinrich von der (Hrsg.): Gesammtabenteuer. Hundert altdeutsche Erzählungen. Stuttgart/Tübingen: J. G. Cotta, 1850. Nachdr. Darmstadt: Wissenschaftliche Buchgesellschaft, 1961.

Rosenhagen, Gustav (Hrsg.): Kleinere mittelhochdeutsche Erzählungen, Fabeln und Lehrgedichte. III: Die Heidelberger Handschrift Cod. Pal. Germ. 341. Berlin: Weidmann, 1909. Nachdr. Dublin/Zürich 1970.

Greiner, Leo: Altdeutsche Novellen. Nach dem Mittelhochdeutschen von L. G. 2 Bde. Berlin: E. Reiß, 1922.

Mettke, Heinz (Hrsg.): Fabeln und Mären von dem Stricker. Halle: Niemeyer, 1959. (ATB 35.)

Fischer, Hanns / Janota, Johannes (Hrsg.): Der Stricker: Verserzählungen. 2 Bde. Tübingen: Niemeyer, 1960. 3., rev. Aufl. bes. von J. J. Ebd. 1973. ⁴1979. ⁵1984.(ATB 53.)

Röhrich, Lutz (Hrsg.): Erzählungen des späten Mittelalters und ihr Weiterleben in Literatur und Volksdichtung bis zur Gegenwart. 2 Bde. Bern/München: Francke, 1962–67.

Moelleken, Wolfgang Wilfried: Liebe und Ehe. Lehrgedichte von dem Stricker. Mit Wort- und Sacherklärungen. Chapel Hill: University of North Carolina, 1970.

Wolf, Norbert Richard (Hrsg.): Sammlung kleinerer deutscher Gedichte. Vollst. Faks.-Ausg. des Codex FB 32001 des Tiroler Landesmuseums Ferdinandeum. Graz: Akademische Druck- und Verlagsanstalt, 1972.

Fischer, Hanns: Pfaffen, Bauern und Vaganten. Schwankerzählungen des deutschen Mittelalters. Ausgew. und übers. von H. F. München: Deutscher Taschenbuch Verlag, 1973.

Moelleken, Wolfgang Wilfried / Agler Beck, Gayle / Lewis, Robert E. (Hrsg.): Die Kleindichtung des Strickers. 5 Bde. Göppingen: Kümmerle, 1973–77.

Irmscher, Johannes: Antike Fabeln. Griechische Anfänge, Äsop, Fabeln in römischer Literatur, Phaedrus, Babrios, Romulus, Avian, Ignatios Diakonos. Aus dem Griech. und Lat. übers. von J. I. Berlin/Weimar: Akademie-Verlag, 1978.

Spiewok, Wolfgang (Hrsg.): Altdeutsches Dekamerone. Übertr. von W. S. Berlin: Rütten & Löning, 1982.

Schwab, Ute (Hrsg.): Der Stricker. Tierbîspel. 3., durchges. Aufl. Tübingen: Niemeyer, 1983. (ATB 54.)

*Forschungsliteratur*

Agricola, Erhard: Die Komik der Strickerschen Schwänke. Ihr Anlaß, ihre Form, ihre Aufgabe. Diss. Leipzig 1954. [Masch.]

– Die Prudentia als Anliegen der Strickerschen Schwänke. Eine Untersuchung im Bedeutungsfeld des Verstandes [1955]. In: Schirmer (1983), S. 295–315.

Bausinger, Hermann: Bemerkungen zum Schwank und seinen Formtypen. In: Fabula 9 (1967) S. 118–136.

Boor, Helmut de: Die deutsche Literatur im späten Mittelalter. Zerfall und Neubeginn. Tl. 1: 1250–1350. In: H. de B. / Richard Newald: Geschichte der deutschen Literatur von den Anfängen bis zur Gegenwart. Bd. 3,1. München 1964. [3]1967.

Bräuer, Rolf (Hrsg.): Der Helden *minne*, *triuwe* und *êre*. Literaturgeschichte der mittelhochdeutschen Blütezeit. Berlin 1990. [Art. von W. Spiewok: S. 472–502.]

Cipolla, Carlo M. / Borchardt, Knut (Hrsg.): Europäische Wirtschaftsgeschichte. Bd. 1: Mittelalter. Stuttgart / New York 1983.

Dithmar, Reinhard: Die Fabel. Geschichte, Struktur, Didaktik. Paderborn [7]1988.

Ehrismann, Otfrid: *der tîvel brâhte mich ze dir* – Vom Eheleben in Erzählungen des Strickers. In: Xenja von Ertzdorff / Marianne Wynn (Hrsg.): Liebe – Ehe – Ehebruch in der Literatur des Mittelalters. Gießen 1984. S. 25–40.

– Tradition und Innovation. Zu einigen Novellen des Stricker. In: Wissenschaftliche Beiträge der Ernst-Moritz-Arndt-Universität Greifswald. Deutsche Literatur des Mittelalters. Bd. 3: Deutsche Literatur des Spätmittelalters. Ergebnisse, Probleme und Perspektiven der Forschung. Greifswald 1986. S. 179–192.

Fischer, Hanns: Studien zur deutschen Märendichtung. Tübingen 1968. 2. Aufl. bes. von Johannes Janota, Tübingen 1983.

Fromm, Hans: Komik und Humor in der Dichtung des deutschen Mittelalters. In: Deutsche Vierteljahrsschrift für Literaturwissenschaft und Geistesgeschichte 36 (1962) S. 321–331.

Glier, Ingeborg (Hrsg.): Die deutsche Literatur im späten Mittelalter. Tl. 2: 1250–1370. In: Helmut de Boor / Richard Newald: Geschichte der deutschen Literatur von den Anfängen bis zur Gegenwart. Bd. 3,2. München 1987.

Grubmüller, Klaus: Meister Esopus. Untersuchungen zur Geschichte und Funktion der Fabel im Mittelalter. Zürich/München 1977.

– Tiere, Bauern, Pfaffen: Typisierung und kritische Distanz in der Kleinepik. In: James F. Poag / Thomas C. Fox (Hrsg.): Entzauberung der Welt. Deutsche Literatur 1200–1500. Tübingen 1989. S. 35–51.

Heinzle, Joachim: Vom Mittelalter zum Humanismus. In: Karl Konrad Polheim (Hrsg.): Handbuch der deutschen Erzählung. Düsseldorf 1981. S. 17–27, 558 f.

Hoven, Heribert: Studien zur Erotik in der deutschen Märendichtung. Göppingen 1978.

Jonas, Monika: Der spätmittelalterliche Versschwank. Studien zu einer Vorform trivialer Literatur. Innsbruck 1987.

Kartschoke, Erika: Kleinepik. In: Horst Albert Glaser (Hrsg.): Deutsche Literatur. Eine Sozialgeschichte. Bd. 1: Aus der Mündlichkeit in die Schriftlichkeit. Höfische und andere Literatur, 750–1320. Hrsg. von Ursula Liebertz-Grün. Reinbek bei Hamburg 1988. S. 290–303.

Köppe, Walter: Ideologiekritische Aspekte im Werk des Stricker. In: Acta Germanica 10 (1977) S. 139–211.

Kosak, Bernd: Die Reimpaarfabel im Spätmittelalter. Göppingen 1977.

Kraus, Carl von: Mittelhochdeutsches Übungsbuch. Heidelberg 1926.

Leibfried, Erwin: Fabel. Stuttgart [4]1982. (SM 66.)

Linke, Hansjürgen: Der Dichter und die gute alte Zeit. In: Euphorion 71 (1977) S. 98–105.

Margetts, John: Die erzählende Kleindichtung des Strickers und ihre nichtfeudal orientierte Grundhaltung [1972]. In: Schirmer (1983). S. 316–368.

Menhardt, Hermann: Zu Strickers kleinen Gedichten. In: Beitr. (Tübingen) 82 (1960) S. 321–345.

Mihm, Arend: Überlieferung und Verbreitung der Märendichtung im Spätmittelalter. Heidelberg 1967.

Ragotzky, Hedda: Gattungserneuerung und Laienunterweisung in Texten des Strickers. Tübingen 1981.

Rocher, Daniel: Le discours contradictoire du Stricker sur les femmes et l'amour. In: Danielle Buschinger (Hrsg.): Le récit bref au Moyen âge. Paris 1980. S. 227–247.

Rosenhagen, Gustav: Der Stricker. In: Die deutsche Literatur des Mittelalters. Verfasserlexikon. Unter Mitarb. zahlreicher Fachgenossen hrsg. von W. Stammler und K. Langosch. Bd. 4. Berlin 1953. Sp. 292–299.

Schirmer, Karl-Heinz: Stil- und Motivuntersuchungen zur mittelhochdeutschen Versnovelle. Tübingen 1969.

– (Hrsg.): Das Märe. Die mittelhochdeutsche Versnovelle des späten Mittelalters. Darmstadt 1983. (WdF 558.)

Schirokauer, Arno: Die Stellung Äsops in der Literatur des Mittelalters [1953]. In: A. S.: Germanistische Studien. Ausgew. und eingel. von Fritz Strich. Hamburg 1957. S. 395–415.

Schröter, Michael: »Wo zwei zusammenkommen in rechter Ehe . . .« Sozio- und psychogenetische Studien über Eheschließungsvorgänge vom 12. bis 15. Jahrhundert. Frankfurt a. M. 1985.

Schütze, Gundolf: Gesellschaftskritische Tendenzen in deutschen Tierfabeln des 13. bis 15. Jahrhunderts. Bern / Frankfurt a. M. 1973. (EH III,24.)

Schwab, Ute: Zur Interpretation der geistlichen Bîspelrede. In: Istituto Orientale di Napoli. Annali sezioni germanica 1 (1958) S. 153–181.

– (Hrsg.): Die bisher unveröffentlichten geistlichen Bispelreden des Strickers. Überlieferung, Arrogate, exegetischer und literarhistorischer Kommentar. Göttingen 1959. (Zit. als: Schwab 1959/I.)

– Bemerkungen bei der Ausgabe der bisher unveröffentlichten Gedichte des Strickers. In: Beitr. (Tübingen) 81 (1959) S. 61–98 (Zit. als: Schwab 1959/II.)

Spiewok, Wolfgang: Der Stricker und die Prudentia [1964]. In: W. S.: Mittelalter-Studien. Göppingen 1984. S. 317–339.

Steppich, Christoph: Zum Begriff der *wisheit* in der Kleindichtung des Strickers. In: Wolfgang W. Moelleken (Hrsg.): Dialectology, Linguistics, Literature. Fs. for Carroll E. Reed. Göppingen 1984. S. 275–316.

Strasser, Ingrid: *Und sungen ein liet ze prise in einer hôhen wîse.* Zur Frage der höfischen Elemente in den Ehestandsmären des Strikker. In: Amsterdamer Beiträge zur Älteren Germanistik 15 (1980) S. 77–107.

– Vornovellistisches Erzählen. Mittelhochdeutsche Mären bis zur Mitte des 14. Jahrhunderts und altfranzösische Fabliaux. Wien 1989.

Straßner, Erich: Schwank. Stuttgart 1978. (SM 77.)

Thamert, Mark Lee: The Medieval Novellistic *mære*: Telling and Teaching in Works of the Stricker. Princeton University 1986.

Vogt, Dieter: Ritterbild und Ritterlehre in der lehrhaften Kleindichtung des Stricker und im sog. Seifried Helbling. Frankfurt a. M. [u. a.] 1985.

Wailes, Stephen L.: Studien zur Kleindichtung des Stricker. Berlin 1981.

– Stricker and the Virtue Prudentia: Critical Review. In: Seminar 13 (1977) S. 136–153.

Ziegeler, Hans-Joachim: Erzählen im Spätmittelalter. Mären im Kontext von Minnereden, Bispeln und Romanen. München/ Zürich 1985.

# Anmerkungen und Kommentare

## Fabeln

### Zur Gattung: Fabel und bîspel

Die hier unter der Überschrift »Fabeln« versammelten Texte sind z. T. nur schwer unter die Gattung Fabel zu zwingen und werden gelegentlich Untergattungen der Fabel oder eigenen Gattungen zugeordnet; dies ist an Ort und Stelle bei den jeweiligen Texten bemerkt. Eine Sammlung wie die vorliegende muß aber nach wenigen Überschriften strukturieren.

Eine überzeitliche und allgemeingültige Gattungsdefinition der Fabel (im engeren Sinne, nicht im weiteren Sinne einer Erzählung überhaupt) ist nicht möglich. Die engere Gattungsdefinition geht aus von den inneren Merkmalen: »Das der Fabel eigentümliche Personal sind Tiere, Pflanzen, Körperteile, Dinge der verschiedensten Art, also stets Nicht-Menschliches, das aber *vermenschlicht* ist und dementsprechend handelt und spricht« (Kosak, 1977, S. 31). Eine irreale, fiktive Welt bildet zum Zweck der Lehre die Verhaltensweisen einer realen ab. In der Fabel als einer »knappen lehrhaften Erzählung in Vers oder Prosa« wird »eine Kongruenz mit menschlichen Verhaltensweisen deutlich [...] und der dargestellte Einzelfall [ist] als sinnenhaft-anschauliches Beispiel für eine daraus ableitbare Regel der Moral oder Lebensklugheit zu verstehen« (MLL, S. 147). Die Handlung der Fabel hat also *»exemplarischen Charakter*, d. h. sie stellt beispielhaft in der verfremdeten Gestalt des nicht-menschlichen Personals menschliche Handlungsweisen und gesellschaftliche Verhältnisse dar. Die Fabel kann *exemplarisch* gedeutet werden. Hier werden lediglich die Tiercharaktere in menschliche Eigenschaften ›übersetzt‹ [...]. Daneben kann die Fabel aber auch *parabolisch* (als Analogon mit mehreren Vergleichspunkten) und *allegorisch* (durchgehend detailidentifizierend) gedeutet werden. Kennzeichnend sind die fließenden Übergänge zwischen diesen Deutungsweisen« (Kosak, 1977, S. 149). Die Lehre (*moralisatio* ›Moralisation‹) ist in der Regel der Erzählung (*narratio*) angefügt (*epimythion* ›Nachwort‹). Die Anthropomorphisierung der fabelhaften Gegenstände/Tiere beschränkt sich meist auf wenige konstante Eigenschaften.

In Antike und Mittelalter galt die Fabel nicht als selbständige

Gattung, die Antike ordnete sie den Begriffen *mythos, apologos* oder *logos* unter, das Mittelalter, wenn überhaupt, wie wir aus den Überschriften zu den Strickerschen Fabeln selbst sehen können, den Begriffen *mære* (s. S. 250) oder *bîspel* (zu *bî* ›bei‹ und *spel* ›Erzählung‹, nhd. ›Beispiel‹; lat. Entsprechung *exemplum*) und – hier nicht dokumentiert – *gelîchnisse*. Noch Luther spricht in der Vorrede zu seiner Äsop-Verdeutschung von »Fabeln oder Merlin« (Steinberg, 1961, S. 82; s. Nr. 1), verwendet also die Begriffe parallel, aber den des »Märe« schon im Diminutiv, um die kleine Form zu betonen. Das Gleichnis ist sehr stark theologisch definiert: es greift einen typischen Vorgang der Wirklichkeit auf, der den menschlichen Verhältnissen analog gedeutet wird (vgl. Kosak, 1977, S. 169). Die mhd. Fabel ist wie fast alle zeitgenössischen volkssprachlichen Erzählungen in Reimpaaren abgefaßt (Reimpaarfabel).

»Bîspel« verwendet die germanistische Forschung, gerne verallgemeinernd, um die spezifische Form der mittelalterlichen Fabel mit ihrer ausgedehnten Moralisation zu kennzeichnen, wie sie der Stricker ins Leben gerufen hat; andere möchten darin keinen eigenständigen Texttyp sehen (Grubmüller, 1983), wieder andere verwenden ihn für »alle exemplarisch gemeinten Erzählungen« (Heinzle, 1978). Einem verhältnismäßig kurzen Erzählteil schließt sich hier eine meist umfangreichere Auslegung (Exegese; *moralisatio* ›Lehre‹) an. Im Einzelfall sind die Grenzen zu den benachbarten Erzählformen außerordentlich offen: sowohl zur weniger moralisierenden Fabel der antiken Tradition als auch vor allem zu den ausgedehnteren Formen des Märe. Die heutigen Begriffsraster können deshalb allenfalls eine hermeneutische Hilfsfunktion besitzen. Der Stricker selber verwendet den Begriff *bîspel* nur einmal, und nicht in bezug auf seine Erzählungen, sondern auf ein Gleichnis Salomos (*Ein Beispiel Salomons*, M. 122, V. 2).

Als Vater der europäischen Fabel gilt der mythische Äsop, nach Herodot ein phrygischer Sklave (6. Jh. v. Chr.). Auf ihn berufen sich in der Regel die späteren Sammlungen, deren älteste griechische erst aus dem 2. Jh. n. Chr. überliefert sind (Augustana-Sammlung, Babrios). Entscheidend für die Ausbildung der äsopischen Gattung wurde die lateinische Sammlung des thrakischen Sklaven Phädrus (1. Jh. n. Chr.). Auf ihn gehen die Sammlung des Avianus (4. Jh. n. Chr.) und der sog. *Romulus* (um 350–500) zurück. Dieser Bestand gehörte zur mittelalterlichen Schullektüre und wurde immer wieder neu bearbeitet und auch mit außereuropäischem Fabelgut angereichert. Für die volkssprachliche Fabeldichtung des Mittelalters wurde die (lateinische) Sammlung des *Anonymus Neveleti* (auch: *Mittelalterlicher Äsop*) aus dem 12. Jh. wichtig. Erst seit dem ausgehenden 13. Jh. wurde die Fabel gemeinhin als didaktisches Genre erkannt und in breiterem Rahmen genutzt. Umfängliche französische (*Lyoner Ysopet* um 1300, *Ysopet-Avionnet* zwischen 1332–49 u. a.) und niederdeutsche Sammlungen finden sich seit dieser Zeit, die erste systematische hochdeutsche Sammlung ist der *Edelstein* des Berners Ulrich Boner (1350, in Reimpaaren; vgl. S. 232, Nr. 1 unter *Stoffgeschichte*).

In dieser Geschichte zählen die formal und ethisch von der klassischen höfischen Dichtung zehrenden Fabeln des Stricker zu den Vorläufern einer erst seit dem späteren Mittelalter blühenden Gattung. Er wäre jedoch als der erste zu benennen, der, nach den tastenden Versuchen von Herger/Spervogel (12. Jh.; s. Leibfried, 1982, S. 50 f.), die Fabel planmäßig in die Volkssprache überführte und literarisierte. Die meisten seiner Fabeln gehören einem im Spätmittelalter bevorzugten Typ an, den Kosak (1977, S. 249) als »lebenskluge Fabel« bezeichnet, »die vor dem Bösen oder Mächtigen warnt«. Hier provoziert der erste Handlungsträger in der Regel erfolgreich einen zweiten, um diesen zu vernichten. Dabei wäre zu beachten, daß nicht vor dem Mächtigen an sich, sondern vor dem sich falsch verhaltenden Mächtigen gewarnt wird.

Hs. A enthält noch andere, den Strickerschen ähnliche Fabeln, so daß man gelegentlich von einer »Strickerschule« gesprochen hat. Sehr sinnvoll ist dies wohl nicht, zumal, wie Kosak (S. 335) festgestellt hat, »die Überlieferung der Reimpaarfabel keinesfalls von vornherein innerhalb der Stricker-Überlieferung geschieht, sondern daß es schon seit dem 13. Jahrhundert Sammlungen anonymer Bispeln und Fabeln gab, die in die großen Sammelhandschriften eingearbeitet wurden«.

*Literatur:* MLL, S. 57, 147 f.; RL I, S. 433–441, hier S. 178 f., 413–418; Thiele (1910, s. Nr. 1); Schirokauer (1953); Fischer (1968); Dithmar (1988); Grubmüller (1977); Leibfried (1982); Ziegeler (1985); Strasser (1989); Margaret D. Howie, *Studies in the Use of Exempla*, London 1923; J.-Th. Welter, *L'exemplum dans la littérature religieuse et didactique du moyen âge*, Paris/Toulouse 1927; Hans Friederici, »Die Tierfabel als operatives Genre«, in: *Weimarer Beiträge* 11 (1965) S. 930–952; Helmut de Boor, *Über Fabel und Bispel*, München 1966; Joachim Teschner, *Das Bispel in der mittelhochdeutschen Spruchdichtung des 12. und 13. Jahrhunderts*, Diss.

Bonn 1970; André Jolles, *Einfache Formen*, Tübingen [4]1968, S. 171–199; Rudolf Schenda, »Stand und Aufgaben der Exemplaforschung«, in: *Fabula* 10 (1969) S. 69–85; M. Augusta Coppola, *Il rimario dei bispel spirituali dello Stricker*, Göppingen 1974; Karlheinz Stierle, »Geschichte als Exemplum – Exemplum als Geschichte. Zur Pragmatik und Poetik narrativer Texte« (1973), in: K. S., *Text als Handlung. Perspektiven einer systematischen Literaturwissenschaft*, München 1975, S. 14–48; Marie de France, *Äsop*, eingel., komm. und übers. von Hans Ulrich Gumprecht, München 1973, S. 7–52; Klaus Grubmüller, »Zur Pragmatik der Fabel. Der Situationsbezug als Gattungsmerkmal«, in: *Textsorten und literarische Gattungen*, Berlin 1983, S. 473–488.

# 1
## Der Hahn und die Perle

*Ausgaben:* Me. 12; Schw. 1; M. 65. – *Forschungsliteratur:* Schw., S. XI; Schütze (1973) S. 129 ff.; Ragotzky (1981) S. 168–172; Leibfried (1982); Albert Blumenfeldt, *Die echten Tier- und Pflanzenfabeln des Strickers*, Diss. Berlin 1916, S. 27. – *Stoffgeschichte:* Gumprecht (1973; s. o.) Nr. 1; Julius Tittmann (Hrsg.), *Esopus.* Von Burchard Waldis, Bd. 1, Leipzig 1882, Nr. 1; Georg Thiele (Hrsg.), *Der lateinische Aesop des Romulus und die Prosa-Fassungen des Phädrus*, Heidelberg 1910, Nr. 1; *Der Edel Stein. Geticht von Bonerius*, hrsg. von George Friedrich Benecke, Berlin 1816, Nr. 1; Willi Steinberg (Hrsg.), *Martin Luthers Fabeln*, Halle 1961, Nr. 1; Kosak (1977) S. 378. – *Überlieferung:* A 69; E 25; F 11; H 171; K 163 (171); N 31.

## Zur Textgestalt

[Überschrift] H *ditz ist von einem hane ein mære,* / *got helfe uns vil gewære;* K *ditz ist des hanen mære,* / *daz lêret uns der strickære;* E *von einem hanen;* F *von einem hane, der ein mergriezen vant.*    4 Schw. ersetzt nach H, K hs. *chratzen* durch *scherren.*    13 *wol* ist nach den übrigen Hss. (sowie Schw. und M.) ergänzt.    15 Schw. ersetzt *daz* nach E, N durch *weder.*    32 die übrigen Hss. stellen ein Adverb vor *diuten* (*immer, lange, vil*).    40 *des* nach E, F als der üblichen Form.

### Kommentar

Die unter den Fabeln des Romulus bezeugte äsopische Fabel ist traditionell eine Fabel vom recht verstandenen Wort (Symbol: Perle). Der Stricker nimmt diese Tradition in seiner *moralisatio* (V. 19–40) auf, in der er das zeittypische höfische Verhaltensprogramm »Gott und der Welt gefallen« (vgl. V. 26 f., 30 f.) in das Weisheitsthema einbettet, das hier eindeutig dominiert. Beziehungen zum *Äsop* der Marie de France bestehen nicht. Ein Zeitgenosse des Stricker, Heinrich von dem Türlin, hat die Fabel im Epilog seines Romans *Diu Crône* erzählt (V. 29946–965; *bispel* V. 29943).

### 2
### Der Rabe mit den Pfauenfedern

*Ausgaben:* Me. 21; Schw. 2; M. 93. – *Forschungsliteratur:* Blumenfeldt (1916; s. Nr. 1) S. 29; de Boor (1964) S. 239; Schw., S. VIII ff.; Schütze (1973) S. 122 ff.; Grubmüller (1977) S. 181 ff., 210 f. – *Stoffgeschichte:* Gumprecht (1973; s. S. 232) Nr. LXVII; Thiele (1910; s. Nr. 1) Nr. XLV; Max Fuchs, *Die Fabel von der Krähe, die sich mit fremden Federn schmückt*, Diss., Berlin 1886. – *Überlieferung:* A 103; B 19; E 4; F 19; H 170; K 162 (170).

### Zur Textgestalt

[Überschrift] H *ditz ist des raben mære, | got büeze uns unser swære;* K *ditz ist des raben mære, | daz saget uns der strickære;* E *ditz ist von einem raben;* B *daz mære von dem raben;* F *wie ein rabe pfâwenfedern an sich tet, | die rupften im die pfâwen wider ûz.* **3** *en* angefügt, da *veder* sonst auch schwach flektiert ist. Nach 10 in H, K, B vier Mehrverse, die Schw. übernimmt: *daz ich mit iu solde umbe gân. | ir sît sô übele getân. | ich sæhe iuch alle tœten, | ê ich mich des lieze benœten.* **26** H, K, E, B (und Schw.) wählen *wider komen* statt *bekomen.* **33** statt *baltliche* schreiben H, K *vil blœdicliche;* E, B (und Schw.) *bliucliche.* **58** H, K, E, B (und Schw.) setzen vor *âne allez.* Nach V. 50 hat E vier Mehrverse, nach 60 B acht.

## Kommentar

Diese äsopische Fabel, aus der die Redewendung »sich mit fremden Federn schmücken« abgeleitet ist, plädiert für Bescheidenheit und geißelt das Prahlen mit fremdem Gut sowie das damit verbundene Streben nach sozialer Höherstufung. Der Stricker erweitert die antike *moralisatio* durch eine anschauliche Darstellung des verwerflichen und überheblichen Verhaltens des Raben, der sich hier zum Träger von Herrschaft aufgeworfen hat, und dokumentiert damit ein Interesse an diesem politisch-sozialen Thema (vgl. S. 17 ff.). Keine Beziehungen zum *Äsop* der Marie de France.

### 3
### Der Kater als Freier

*Ausgaben:* Me. 2; Schw. 10; M. 32. – *Übersetzung:* Greiner (1922) S. 184–188; *Deutsche Tierfabeln vom 12. bis zum 16. Jahrhundert,* ausgew., in heutige Sprachform übertr., eingel. und erl. von Richard Schaeffer, Darmstadt 1960, S. 65–68; s. Siegfried Grosse / Ursula Rautenberg, *Die Rezeption mittelalterlicher deutscher Dichtung. Eine Bibliographie ihrer Übersetzungen und Bearbeitungen seit der Mitte des 18. Jahrhunderts,* Tübingen 1989, S. 263. – *Forschungsliteratur:* Agricola (1955); Spiewok (1964); Grubmüller (1977) S. 181 ff., 199 f.; Ragotzky (1981) S. 186–192; Ehrismann (1984) S. 26 f.; Hugo Moser, *Karl Simrock,* Berlin 1976, S. 339, 363 f. – *Überlieferung:* A 41; H 145; K 137.

### Zur Textgestalt

[Überschrift] H *ditz ist des katern mære, / got büeze uns unser swære;* K *ditz ist ein guot mære, / von einem katern gewære.*    26 Schw. folgt H, K und schreibt *niht* statt *nimmer.*    48 *sô* nach H, K (und Schw.) eingefügt.    59 Schw. folgt H, K und fügt *sa* vor *zehant* ein.    91 Schw. wählt mit H, K *dâ* statt *daz;* vgl. aber *dâ* im folgenden Vers.    108 Ebenso *wil* statt *muoz.*    114 V. A 116 ist (wie in H, K) wegen des Reims vorgezogen; H, K (und Schw.) wählen statt *daz* das elegantere *iedoch.*    117 hs. *zehant* wegen des Reims nach H, K (und Schw.) geändert.    121 hs. *vliehant.*    139 *mit* nach H, K (und Schw.) eingesetzt.    140 *hôher* anstelle *sô vil* der Hs. (nach H, K und Schw.).    142 hs. *tiuwer* statt *tiurer.*    156 *hôchgemüete* statt *hôhe gemuote* nach H, K und Schw.    182 H, K (Schw.) *ze hôhe verte.*

## Zur Übersetzung

10 Der verstärkte und in der höfischen Diktion unübliche Imperativ *râtâ* deutet auf die Dringlichkeit der Anfrage; möglicherweise ist zugleich eine Kontrastierung zwischen diesem stürmisch-überheblichen Verhalten und der höfischen Anrede *vrouwe* beabsichtigt. Diese Anrede verlangte für das Verb die plurale Form: solche Dissonanz könnte die Differenz zwischen Anspruch und Wirklichkeit des Katers veranschaulichen.

180 *reht*: bezeichnet die durch das Recht abgesicherte Position in der Sozialhierarchie; *name*: die hier durch Geburt und Stand festgesetzte Position.

## Kommentar

Im äsopischen Fabelkorpus repräsentiert die Katze den Ehrgeizling, der durch die Ehe in einen höheren gesellschaftlichen Rang eintreten will, der aber im entscheidenden Moment von seiner angestammten Art nicht lassen kann. Diese Tradition ist hier übernommen. In der Fabel *Das Katzenauge* (Schw. 12; M. 2) hat der Stricker das Thema von der angestammten Natur (mhd. *art*; s. S. 19) auf die Geschichte vom König übertragen, dem ein Katzenauge eingesetzt werden mußte und der fortan nach Mäusen jagt.

Das Stück *Der Kater als Freier* hat die antike Knappheit verlassen und ist strukturell auf dem Weg zur Märe; es ist zu einer dialogischen Erzählung über den *ordo* ausgeweitet – *ieclich man sol sîn reht bewarn*. Die weltkluge und bemerkenswerterweise nicht derart abschätzig wie im *Physiologus* als Abbild des Teufels gesehene Füchsin führt den überheblichen Kater in großem Bogen zu sich selbst, zu Scham und Bescheidenheit. Die Differenz zur Wertung des *Physiologus* macht generell moderne Interpretationen problematisch, die die Wertungen der mittelalterlichen Tiere zu ausschließlich auf ihn beziehen. Vgl. *Der Physiologus*, übertr. und erl. von Otto Seel. Zürich/Stuttgart 1960; Friedrich Maurer (Hrsg.), *Der altdeutsche Physiologus*, Tübingen 1966 (ATB 67).

Dasselbe Sujet hat, wahrscheinlich wenig später, Herrand von Wildonie in seiner Fabel *Die Katze* wieder aufgenommen – diesmal ohne Dialog mit der Füchsin, der freiende Kater geht selbst zu seinen »Damen« – und auf den Vasallen bezogen, der seinen Herrn verläßt und nach schlechten Erfahrungen später wieder reumütig zu ihm zurückkehrt.

## 4
## Die Katze

*Ausgaben:* Me. 3; Schw. 11; M. 33. – *Überlieferung:* A 42; F 8;
H 146; K 138.

### Zur Textgestalt

[Überschrift] H, K *ditz ist von den katzen, | die bizen unde kratzen*;
F *von unkiuschen mannen.*    19 *wort* statt *wart(e)* schreiben H, K,
F (und Schw.; auch M.; *a* ist aber ursprünglich).

### Kommentar

Anders als in den bisherigen Fabeln erzählt der Stricker hier keine
Geschichte, sondern wählt auf einem sehr abstrakten Niveau die
Eigenschaft eines Tieres als Ausgangspunkt. Die ausgedehnte und
mit Erzählmomenten der erotischen Werbung durchsetzte Lehre
verwirft im Sinne der geistlichen Keuschheitslehre die triebhafte
Sexualität – ein Thema, das in der antiken Fabel noch keine Rolle
spielte.

## 5
## Der Hofhund

*Ausgaben:* Me. 16; Schw. 13; M. 73. – *Forschungsliteratur:* Blumen-
feldt (1916; s. Nr. 1) S. 28; Kosak (1977) S. 163 f. – *Überlieferung:*
A 78; B 18; F 12; I 19 (Wolf, 1972, 25vb–26ra).

### Zur Textgestalt

[Überschrift] B, I *hie hebet an der hovewart*; F *von einem springen-
den hunde.*

### Zur Übersetzung

6 Der *hovewart* (›Hofwächter‹) ist der alte deutsche Hofhund, aus
dem 1936 die als Rasse anerkannten Hovawarts herausgesucht
wurden.
27 *milte* (lat. *largitas*) ist eine der zentralen herrscherlichen Tugen-
den, auf die das mittelalterliche Sozialsystem in erheblichem Maße

angewiesen ist (vgl. Michel Mollat, *Die Armen im Mittelalter*, München 1984); vgl. auch Strickers Fabel *Die Herren zu Österreich* (M. 8).

## Kommentar

Der Hund gehört neben Fuchs, Wolf, Esel und Löwe zu den beliebtesten Tieren der äsopischen Fabel. Selten ist er hier treu oder klug, meistens gierig und boshaft, auch dumm, und die Tiere beklagen seine Gefangenschaft durch den Menschen. Strickers Fabel liegt zwischen diesen Traditionsströmen und wertet den Hund nicht eindeutig: einerseits ist er willig und wird der *milte* verglichen, andererseits klingt an, daß er in seiner Langmütigkeit auch töricht ist, weil er den eingeleiteten Vorgang nicht zu Ende durchdenken kann und erst zu spät merkt, daß er ausgenutzt wurde. Ob auch der Reiche solch ambivalenter Wertung unterworfen werden sollte, oder ob sie sich nur zufällig für ihn einstellt, bleibt offen – eindeutig bezogen ist sie auf die Bittsteller, die in ihrer Armut auch Demut und Bescheidenheit üben sollen, eine Attitude, die dem Ordo-Denken verpflichtet ist.
Kosak (1977) S. 163 f. verwendet für die vorliegende Fabel differenzierend den Begriff Tierparabel (s. hier S. 244 f.): »Bild und Lehrteil stehen nur aufgrund einiger Vergleichspunkte in Beziehung zueinander«. Dies allerdings verhält sich meistens so, und auch die Anthropomorphisierung des Tieres ist typisch für die Fabel.

## 6
## Der Hofhund und die Jagdhunde

*Ausgaben:* Me. 18; Schw. 14; M. 87. – *Forschungsliteratur:* Agricola (1955); Schw., S. XII; Spiewok (1964); Grubmüller (1977) S. 219; Kosak (1977) S. 383; Vogt (1985) S. 91–95; Claire Baier, *Der Bauer in der Dichtung des Strickers. Eine literarhistorische Untersuchung*, Tübingen o. J. [1938], S. 88 f. – *Überlieferung:* A 96; F 15; H 118; K 107.

### Zur Textgestalt

[Überschrift] H *ditz ist ein mære / von den bûren seltsæne*; K *ditz ist von einem gebûren, der wart selten sat / und ist ein mære seltsæne*; F *ein bîspel sô ein gebûr gewalt überkumt.*   1 *vor* statt *bevor* nach

K.    56 *des* statt *der* nach H, K, F.    65 *dem* nach H, K eingefügt;
Schw.: *von jagene.*    71 *ob* nach F eingefügt.    90 *der* statt *den*
nach H, K, F (und Schw.).    91 *wil er danne* statt *danne wil* nach H,
K, F (und Schw.).    97 *ez* statt *er* nach H, K, F (und Schw.).

## Zur Übersetzung

4 Zu *hovewart* s. Nr. 5, V. 6.

19 *hessehunde:* Wind- oder Hetzhunde; schmale, hochbeinige, steh-
ohrige Tiere mit spitzem Fang, tiefer Brust und gewölbtem
Rücken.

75 Die *süeze spîse,* die den Bauern im Alltag verwehrt ist, steht
repräsentativ für das *dolce vita* am Hofe.

76 f. Auf den Bauern ist das Bild vom Wolf im Schafspelz über-
tragen.

## Kommentar

Die *narratio* ist in typisch Strickerscher Weise ausgedehnt: *amplifi-
catio* auf dem strukturellen Weg zum Märe. Anders als in Nr. 5 ist
eindeutig, nicht zuletzt in dem äsopischen Motiv des Hundes, der
gegen den Löwen antritt, das Traditionsbild des gierigen und über-
heblichen Hundes übernommen, das hier den Bauern repräsentiert,
der sich planvoll-listig in die Adelsgesellschaft einschleicht und dem,
wie der Anfang der Erzählung wenigstens indirekt ausweist, das
Mitleid nur gilt, solange er bei seinem Leisten bleibt. Der Hof soll
sich nicht mit den Bauern gemein machen, ihnen nicht einmal den
kleinen Finger reichen, weil sie versuchen werden, die ganze Hand
zu ergreifen (s. auch S. 17 f. und Nr. 13; zur Gattung vgl. Komm. zu
Nr. 5).

## 7
## Der Wolf und der Biber

*Ausgaben:* Me. 15; Schw. 9; M. 72. – *Forschungsliteratur:* Blumen-
feldt (1916; s. Nr. 1) S. 28; de Boor (1964) S. 239; Fischer (1968)
S. 54 f.; Kosak (1977) S. 71 f., 406; Daniel Rocher, »Vom Wolf in
den Fabeln des Strickers«, in: Jan Goossens / Timothy Sodmann,
*Proceedings* [. . .]. International beast epic, fable and fabliau collo-
quium, Bd. 3, Münster 1979, Köln/Wien 1981, S. 330–339. – *Über-
lieferung:* A 77; q 18,2.

## Zur Textgestalt

[Überschrift] q *von einem wolf und einem biber.* 24 Schw. schreibt *unde* vor *eil* nach q. 30 *genesen* statt *leben* nach q (und Schw.). 42 q (und Schw.) formulieren die Rede indirekt. 52 q (und Schw.) bessern zu *dir ditz(e).* Die *du-* und *iu-*Anrede gehen in diesen Versen durcheinander, da aber *iu* auch V. 54 steht, wähle ich die plurale Form auch für *saget* und *behaget.* 57 statt *er* (so q) hs. *der dahs.* 74 hs. *dahse,* das *e* ist vielleicht zu *neben* zu ziehen (*eneben:* so Schw.). 79 *in* statt *ine* nach q (und Schw.). 93 statt *rât* schreibt q (und Schw.) *tôt.*

## Zur Übersetzung

14 *neve* kann verschiedene Verwandtschaftsverhältnisse bezeichnen und einfach auch nur »Freund« bedeuten; nicht ungerne wird es als Anrede benutzt.

25 Der Biber bietet dem Wolf die Kommendation an, damit dieser ihn in Zukunft in seine Schutzverpflichtung nimmt.

62 *marc* (›Mark‹) bezeichnet eine erhebliche Summe, deren Umfang heute nicht mehr zu präzisieren ist. Die Geschichte des Friesacher Pfennigs mag eine ungefähre Vorstellung vermitteln: die ältesten Friesacher wogen im Durchschnitt 1,225 g, und 160 Stück kamen auf eine Mark. Die Entwertung schritt jedoch rasch voran, schon 1207 gingen 210 Pf. auf die Feine Mark, 1217 240 Pf., 1286 344 Pf. auf die sog. Münzmark, die auch die Wiener Mark genannt wurde und etwa 280 g wog, 370 Pf. auf die feinlötige Mark. Vgl. Arnold Luschin von Ebengreuth, »Umrisse einer Münzgeschichte der altösterreichischen Lande vor 1500«, in: *Numismatische Zeitschrift* N.F. 2, Wien 1909, S. 137–139; Bernhard Koch, »Zur Geschichte der Friesacher Münz-stätte«, in: *Mitteilungen des Instituts für Österreichische Geschichts-forschung* 60 (1952) S. 140–142; Egon Baumgartner »Beiträge zur Geldgeschichte der Friesacher Pfennige«, in: *Carinthia* 150 (1960) S. 84–117; Friedrich Frhr. v. Schrötter (Hrsg.), *Wörterbuch der Münzkunde,* Berlin 1970, S. 207.

67 *vlôzgalle* ›Flußgalle‹ (lat. *teudo vaginitis serosa chronica*), »schmerzlose, nicht höher temperierte, fluktuierende, scharf um-schriebene Anschwellung oberhalb vom Fesselgelenk. Zuweilen ist die Konsistenz erheblicher bindegewebiger Veränderungen sehr derb, fast hart. Ältere Fälle sind durch sehr große Umfangszunahme gekennzeichnet. Das Hygrom ist gewöhnlich nicht mit Lahmheit verbunden« (aus: Erich Silbersiepe / Ewald Berge, *Lehrbuch der*

*speziellen Chirurgie*, 15. Aufl. von H. Müller, Stuttgart 1976, S. 451).
89 *vriunt* kann auch Singular sein.
93 Vgl. die Lesart von q!

## Kommentar

Das Bild des Wolfes in der äsopischen Fabel ist verhältnismäßig eindeutig: er ist gierig und dumm – diese Tradition scheint auch noch in der Geschichte mit dem Biber durch, die allerdings nicht auf eine Fabel, sondern auf ein älteres Tiermärchen zurückzugehen scheint. Kosak (1977) S. 71 f. ordnet es als »›schwankhafte‹ Fabel« ein. Der Wolf steht auch sonst in den Fabeln des Stricker für die Willkürherrschaft – sicherlich nicht für die gesamte »soziale Oberschicht« (Rocher, 1981, S. 339) –, d. h. für »die Gefährdung der Gesellschaftsordnung durch die Rechtlosigkeit« (Rocher, 1981, S. 333). Der Stricker weitet die *narratio* wiederum erheblich dialogisch aus und verbindet das Erzählschema vom schwachen Gefangenen, der dem gierigen Wolf eine fettere Beute verspricht, mit dem Schema vom Wolf, der eine Aufgabe erfüllen muß.
Auf die lebendig erzählte Geschichte folgt eine ungewöhnlich schmale *moralisatio* über das Lob der Freundschaft, so daß sich diese Fabel nur durch ihr Personal von den moralisierenden Erzählungen unterscheidet. Das sonst so gern angeschlagene Thema der *wisheit* oder *kündekeit*, das sich auch hier anböte, ist fast provokativ ausgelassen, und auch das weite Tableau der Wolf-Fuchs-Welt ist bemerkenswerterweise nicht evoziert. So objektiviert sich die Identität von Dummheit und Macht allein durch die *narratio*.

## 8
## Die Fliege und der Glatzkopf

*Ausgaben:* Me. 17; Schw. 17; M. 74; alle mit dem Titel *Fliege und Kahlkopf*. – *Forschungsliteratur:* Blumenfeldt (1916; s. Nr. 1) S. 29; Schw. S. XII; Grubmüller (1977) S. 189 f.; Kosak (1977) S. 368; Peter Jentzsch / Burghart Wachinger (Hrsg.), *Gegenwart und Mittelalter. Materialien zur kontrastiven Textarbeit in einem problemorientierten Deutschunterricht der Sekundarstufe I*, Lehrerband, Frankfurt a. M. 1984, S. 71 f. [Der Schülerband, ebd., 1983, S. 28 f., enthält eine Edition mit Übersetzungshilfen.] – *Stoffgeschichte:* Tittmann (1882; s. Nr. 1), Bd. 2, Nr. 99; Thiele (1910; s. Nr. 1) Nr. XLII; Benecke (1816; s. Nr. 1) Nr. 41. – *Überlieferung:* A 79; F 13.

## Zur Textgestalt

[Überschrift] F *wie ein vleuge ein kalen oft irret.* 5 *was* fehlt, ich folge der Anregung Moellekes; F löst mit *dâ vlôch diu vliege hin dan* das Problem nur scheinbar, da nun die Reimlänge zu *getân* nicht mehr stimmt. 14 Schw. folgt F *gar verpflac.* 17 hs. *niezen* ändert Schw. in *neisen*; ihre Parallelisierung zu Nr. 5, V. 33 ist nicht zwingend.

## Zur Übersetzung

15 ff. Vgl. Grubmüller (1977) S. 216 f. Er betont die *relative* Verwendung der Begriffe *arm* und *rîche* (vgl. Nr. 20, Anm. zu V. 9).
18 *hulde* im engeren Sinne gehörte zur Lehensterminologie, was hier aber vielleicht zu konkret wäre; vgl. auch Anm. zu V. 20.
20 *widersagen* gehört zur Fehdeterminologie und bedeutet ›die Fehde ankündigen‹, vielleicht wäre aber auch dies zu einseitig. Man könnte, gerade auch im Hinblick auf den Schluß der Erzählung, die *moralisatio* auf das Verhältnis eines armen Raubritters zu einem mächtigen Herrn beziehen, doch wird man nicht übersehen wollen, daß auch eine allgemeinere Beziehung denkbar wäre.

## Kommentar

Unsere Sympathie läge heute wohl gewiß bei der kleinen lästigen Fliege, die den großen Herrn bedrängt und die wir gerne mit dem Volk identifiziert sähen – doch wir sind durch Aufklärung und Französische Revolution gegangen. Ganz anders das dem *ordo*-Prinzip verpflichtete und nach Herrschaftsverhältnissen strukturierende feudale Mittelalter, das hier – in der Tradition der anmaßenden äsopischen Fliege – eine schmale und dürre *narratio* im Hinblick auf die gesellschaftlichen Grundstrukturen arm vs. reich, beherrscht vs. herrschend moralisiert (vgl. ähnlich Nr. 5 und 6) und mit dem Herrschaftsträger sympathisiert. Die Fliege wird konkret dem Räuber verglichen, wobei offenbleiben muß, ob an die zeittypisch aktuelle Figur des Raubritters oder einen ganz gewöhnlichen Straßenräuber gedacht ist. Im *Leipziger Äsop* (1. Hälfte 15. Jh.) lacht die

Fliege den Glatzkopf aus; in diesem Punkt verzichtet der Stricker
auf eine Anthropomorphisierung (vgl. Kosak, 1977, S. 157).
Auch eine theologische Interpretation, die die Fliege zu den unrei-
nen Tieren zählt (vgl. z. B. 3. Mose 11; 5. Mose 14) und in ihr die
Verkörperung des Satans und der Sündhaftigkeit erblickt (vgl. Harry
Kühnel, »Die Fliege – Symbol des Teufels und der Sündhaftigkeit«,
in: Walter Tauber, Hrsg., *Aspekte der Germanistik. Fs. für Hans-
Friedrich Rosenfeld zum 90. Geburtstag*, Göppingen 1989, S. 285 bis
305), würde die Strickersche Exegese stützen: erfolgreich wehrt der
Herrschaftsträger, der auf seiten Gottes steht, die Fliege, also die
Sünde und den Satan, ab, die – wie es auch die allegorische Erzäh-
lung *Der Salamander* (M. 1) expliziert, in der u. a. die Ungeheuer-
lichkeit beklagt wird, daß sie einen König angreife – die Milch
verunreinigt, die ihrerseits als *des heiligen geistes minne* (*Die Milch
und die Fliegen*, M. 105, V. 78) interpretabel ist.

## 9

## Der Hase und der Löwe

*Ausgaben:* Schw. 23; M. 43. – *Überlieferung:* A 50c; H 175c;
K 167c.

### Zur Textgestalt

4 ich stelle hs. *gouchlich* zu *gouch* ›Kuckuck, Narr‹ und rekonstru-
iere es nicht als *gouglich* wie Schw., das zu *gogelich* ›ausgelassen‹
gehörte, zumal *ch* allenfalls in *k* zurückzuführen wäre.    12 Schw.
wählt den Konjunktiv *sul*.    14 Schw.s Lesart *vor* ist M.s *von*
überlegen.

### Kommentar

Der Hase der antiken Fabel ist feige und ein wenig dumm. Der
Stricker bietet als *narratio* wieder eine dürre Eigenschaftsbeschrei-
bung an (vgl. Nr. 4), und zur drastischen Charakterisierung des
Ehrlosen, den der Hase repräsentiert und der im Kontrast zum
Löwen, dem Vertreter der Macht, das Bild des »kleinen Mannes« (s.
Nr. 21, Komm.) evoziert, erhebt er den Vorwurf der Besessenheit
(s. V. 5; vgl. Nr. 17, V. 115 ff.; Nr. 18, V. 36). Die äsopische Fabel
vom Bündnisangebot der Hasen an die Füchse gegen die Adler hatte
die Lehre ausschließlich auf der Herrschaftsebene entfaltet: wer mit

Mächtigeren Streit suche, setze sein eigenes Leben aufs Spiel (Irmscher, 1978, S. 90). Der mittelalterliche Autor wechselt auf die ethische und religiöse Ebene über: der Ehrlose ist auch gottlos, und der sinnlose Kampf des Hasen gegen den Löwen ist eine Allegorie für die ewig unerlöste Seele des Ehrlosen. Mit dem *êre*-Begriff und dem Bild des Löwen als Repräsentanten von Herrschaft wird im Rahmen des mittelalterlichen Feudalsystems die politische Ebene beibehalten, wonach die auf Besitz sich gründende Ehre ein Privileg des Adels ist. Eine offene Interpretation müßte jedoch akzeptieren, wie hintergründig die Option auf Politik ins Bild kommt, und sie könnte die Bewegung auf eine allgemein menschliche Analyse hin beobachten – wobei ungeklärt bleiben muß, wie bewußt diese inszeniert ist.

## 10
## Der Vogel und der Sperber

*Ausgaben:* Schw. 20; M. 97. – *Überlieferung:* A 107; E 27.

### Zur Textgestalt

[Überschrift] E *von einem vogelin.*     19 *alsô* statt *als* nach E *sô.*

### Kommentar

Der knappen *narratio* folgt eine fast doppelt so umfangreiche *moralisatio* nach dem *memento mori*-Topos über das elende Schicksal der sorglosen Weltkinder. Der religiöse Impetus des Erzählers/Dichters überlagert das schön inszenierte Naturbild. Das äsopische Korpus überliefert derlei natürlich nicht, nur schwach klingt in einer Fabel des Romulus über die Vögel und den Vogelsteller (Irmscher, 1978) der Grundcharakter der Vögel an: ihre Sorglosigkeit.

## 11
## Der Hase

*Ausgaben:* Schw. 24 (*Vom Hasen*); M. 44. – *Überlieferung:* A 50d (ähnlich 102); E 2; F 18; H 175d; K 167d; b 1.

### Zur Textgestalt

[Überschrift] E *diz ist von einem hasen*; F *ein bispel daz ein hase niht zam wirt*; Schw. folgt A 102.    10 *da* nach A 102 eingefügt.

### Kommentar

Kosak (1977) S. 171 zählt den Text zu den Gleichnissprüchen. Der Bildteil enthält »keine Erzählung (im Sinne eines Vorgangs) mehr, sondern wie in der *Physiologus*-Literatur [s. S. 18 f.] eine ›statische‹ Naturtatsache«, die »allegorische Verbindung zwischen Bild- und Lehrteil« ist »nur angedeutet [...], nicht ausgeführt« (ebd.). Der Stricker erzählt nicht das Gleichnis von der Freiheit, sondern von der Ehre, die der Mensch immer zu beachten habe. Allein die Entfernung vom Menschen ist das *tertium comparationis* zwischen *narratio* und *moralisatio*, nicht etwa ein Traditionssymbol, das auf das äsopische Korpus zurückginge.

# Allegorische Erzählungen (Tierparabeln)

## Zur Gattung: Allegorie, Parabel

Die folgenden Erzählungen arbeiten mit tierischen Handlungsträgern wie die Fabel. Der Begriff der allegorischen Erzählungen ist ein Notbehelf, um jene Fabeln zu charakterisieren, die in Richtung des Märe ausgeweitet sind (s. S. 229); auch die moralischen Erzählungen (vgl. z. B. Nr. 17) können starke allegorische Strukturen besitzen, ohne jedoch so konzentriert als Allegorie konzipiert zu sein; während andererseits einige kleinere Fabeln im weitesten Sinne als Allegorien verstehbar wären. Die Allegorie ist die Veranschaulichung »eines abstrakten Vorstellungskomplexes oder Begriffsfeldes durch eine Bild- und Handlungsfolge« (MLL, S. 9). Die Beziehung zwischen Bild und Bedeutung ist verhältnismäßig willkürlich. Die Allegorie ist: 1. eine hermeneutische Methode (einem Text wird ein »eigentlicher« Sinngehalt übergeordnet), 2. ein Mittel der poetischen Darstellung (ein Text wird als Allegorie konstruiert und gegebenenfalls in einer gesonderten Textfolge gedeutet). Die Überschriften zu den Erzählungen des Stricker sprechen von *buoch, bispel, gelichnisse* oder *mære*, wählen also mit Ausnahme des ohnehin singulären *buoch* dieselben Bezeichnungen wie für die Fabel oder die größeren

Erzählungen. Die Forschung würde die Texte wohl im allgemeinen dem Bispel zurechnen.

Die Parabel entstand im Rahmen der geistlichen Rede und der Allegorie, sie fällt späterhin nicht selten mit einem erweiterten Fabelbegriff zusammen und ist definiert als »ein zur selbständigen Erzählung erweiterter Vergleich, der von nur *einem* Vergleichspunkt aus durch Analogie auf den gemeinten Sachverhalt zu übertragen ist, ohne direkten Verweis wie beim Gleichnis (jedoch oft auch gleichbedeutend verwendet)« (MLL, S. 340).

*Literatur:* MLL, S. 9 f., 340; RL II, S. 302 f., III, S. 7–12, IV, S. 326 f.; Kosak (1977); Ziegeler (1985).


## 12
## Die Affenmutter und ihre Kinder

*Ausgaben:* M. 100 (*Die Äffin und ihre Kinder*). – *Forschungsliteratur:* Schwab (1959/II); Kosak (1977) S. 166 f., 358; Ehrismann (1984) S. 25 f.; Anton Avanzin, »Anmerkungen zu den Strickerschen *bispels* der Melker Handschrift«, in: Karl Kurt Klein / Eugen Turnher (Hrsg.), *Germanistische Abhandlungen*, Innsbruck 1959, S. 111–127, hier S. 123 f.; Ute Schwab, *Das Tier in der Dichtung*, Heidelberg 1970, pass. – *Überlieferung:* A 110; C 27; F 22; H 73; K 68; M 29; N 33; V 29; W 27.


### Zur Textgestalt

[Überschrift] H *ditz buoch heizet der jeger,* | *got sî unser pfleger*; K *ditz ist von dem jeger,* | *got sî unser pfleger*; M *daz bîspel ist von werltlichem guot,* | *swer ez liset, der habe ez in sînem muot*; F *wie die effin ir kint erretten tuot*; C *aber ein ander gelîchnisse.* Nach 30 in M, V, W, C zehn, nach 36 dort acht Zusatzverse, nach 46 H, K sechs, M, V, W, C vier Mehrverse. 20 *was* statt *wære* nach den meisten übrigen Hss. 23 *hienc* statt hs. *hanget* nach den meisten anderen Hss.

## Zur Übersetzung

3 *effine* bedeutet eigentlich nur ›Äffin‹, doch halte ich ›Affenmutter‹ für schöner.

30 *affe* bedeutet auch sonst ›törichter Mensch‹, diese übertragene Bedeutung ist hier für die Allegorisierung der Erzählung genutzt.

47 ff. Gemeint ist wohl dies: die Affen (Toren) trachten nach fremder Freude, d. h. nach irdischem Besitz, und sie kümmern sich nicht um die spätere Notlage ihrer Seele.

## Kommentar

Das Motiv der Äffin mit den beiden Jungen, dem geliebten und dem ungeliebten, gehört zum Grundbestand des Äsop und ist auch in die Sammlungen des Babrios und des Avian aufgenommen. Äsop entwickelt aus ihm die Lehre vom unberechenbaren Schicksal (Irmscher, 1978, S. 122), ein Tenor, der, christlich gewendet und mit dem *memento mori*-Topos (vgl. Nr. 10) verknüpft, bis in die zur allegorischen Erzählung geweitete Fabel des Stricker reicht. Hatte erstmals Avian die Affenmutter durch Lärm aufgeschreckt und damit das allgemeine Verhalten der Mutter auf einen konkreten Fall bezogen, so weitet der Stricker den Vorgang durch das der Allegorisierung seit alters dienliche Jagdbild erheblich aus: der Jäger ist der Tod, der Affe der Tor – Sinngebungen im übrigen, die der Theologie auch sonst vertraut sind (vgl. hier S. 19 und Anm. 33). Kosak (1977) S. 166 spricht von einer »geistlichen Tierparabel«, der Stricker stelle eine rein geistliche Thematik in den *Fabeln* nicht dar.

## 13
## Der Jäger

*Ausgaben:* M. 7 (*Der Weidemann*); Rosenhagen (1909) Nr. 191 (*Der Weidemann*). – *Forschungsliteratur:* Baier (1938; s. Nr. 6) S. 90–92; Kosak (1977) S. 180 f.; Wailes (1981) S. 178–181; Ragotzky (1981) S. 192–199; Vogt (1985) S. 96–99. – *Überlieferung:* H 191; K 177.

## Zur Textgestalt

[Überschrift] H *ditz mære ist von einem weideman, | daz lêret uns der stricker san.*    4 hs. *hirzen,* doch ist später stets die starke Flexion gewählt.    31 *schrirn* aus *schreiten* gebessert, da das Kausativum falsch gebraucht wäre.    50 hs. *lewarten*.    73 f. wegen des besseren Verständnisses sind beide Verse vertauscht.    80 *unz* anstelle hs. *und*.    93 *im* aus hs. *in* gebessert.

## Zur Übersetzung

26 *enzelt*, zu *zelt* ›Paßgang‹; die natürliche Gangform größerer Huftiere, typisch für ihn ist der phasengleiche sagittale Synchronismus, d. h. das gleichseitige Gliedmaßenpaar arbeitet annähernd oder vollkommen phasengleich zusammen. Daher lassen sich die Bewegungen der Paßgänger mit denen zweier Menschen vergleichen, die in gleichem Schritt und Tritt hintereinander gehen. »Die abwechselnd links- und rechtsseitige Unterstützung des Schwerpunktes bedingt ein schaukelndes Hin- und Herpendeln des Rumpfes, während seine Vertikalschwingungen nur gering sind. Aus diesem Grunde wurden die im Mittelalter als ›Zelter‹ bezeichneten Paßgänger früher gerne als Damenreitpferde verwendet« (R. Nickel [u. a.], *Lehrbuch der Anatomie der Haustiere*, Bd. 1, Berlin/Hamburg 1961, S. 478).

32 Zu *hovewart* s. Nr. 5, V. 6.

35 *wint* ›Windhund, Hetzhund‹, s. Nr. 6, V. 19.

36 *rüde (rüede)*: großer Hetz- oder Schäferhund.

39 In *snel* spielt sicher auch die Bedeutung ›flink‹ hinein.

45 *hessehunt*, vgl. V. 35.

62 Zu *pfunt* vgl. Nr. 7, V. 62.

87 *edel* ist hier auch identisch mit ›adlig‹ zu denken, doch bleibt die Intensität der sozialen Determination offen.

88 Der Vater hat die Ehre erreicht, das Kind (der Sohn) strebt danach; es geht um die Einheit beider Personen, die im folgenden näher ausgeführt wird.

97 Anspielung auf die höfische Formel »Gott und der Welt gefallen« (vgl. Nr. 1). Vgl. aber Wailes (1981) S. 178, der die Wendung ausschließlich religiös deutet als »die Anerkennung Gottes und der christlichen Gemeinde«.

105 f. Wörtl.: »Wieviel Ehre man ihm auch zuspricht, sie will ihm nicht genügen.«

113 ff. Der Sinn ist folgender: Eine Zeitlang kann es so aussehen, als ob ein falscher Ritter (vgl. V. 118) an Ehren einem echten überlegen sei, doch hält der falsche dies nicht lange durch.

118 Hovawart steht hier für ›Mischling‹, d. h. einen unechten Ritter, der halb Bauer, halb Ritter ist (vgl. V. 126).

126 Zu den Halbrittern und Halbbauern vgl. auch die etwa zeitge-
nössische satirische Dichtung *Seifried Helbling* (s. Vogt, 1985,
S. 166) und Hugos von Trimberg (etwa ein Vierteljahrhundert jün-
geren) *Der Renner* (hrsg. von G. Ehrismann, 1908–11, V. 1064ff.:
*Wir sehen die trahten nâch grôzen êren, | Die nie wurden herren kint |
und weder gebûre noch ritter sint).*
152 Die *stæte* ist eines der Signalwörter der höfischen Lebensform
und bezieht sich in der Regel auf die Treue innerhalb einer Zweier-
beziehung. Das Wort ist hier allgemeiner gewendet; um es mit den
Hunde- und Ehrebildern zusammenzubringen, wurde die Übersetz-
ung ›Ausdauer‹ gewählt.

## Kommentar

Es könnte der Faszination des Dichters durch das Ständethema zu
verdanken sein, daß die *narratio* erst den gleichsam postnarzißti-
schen Hirsch der äsopischen Fabel aufgreift, den, der nach der
Spiegelung im Wasser schon auf der Flucht ist (vgl. Irmscher, 1978,
S. 264f. u. ö.), und daß sie das Hundethema so stark ausweitet. Sie
skizziert ein zwar lebensvolles, dennoch stark typisiertes Bild des
mittelalterlichen Landlebens, das mit Hilfe des Topos vom dummen
Bauern gegen die Bauern für den Adel Partei nimmt, für den
Besitzer der Ehre, zu dem die Ritter in der Mitte des 13. Jh.s
gehören – *die von den tugenden edel sint* (V. 86; vgl. Nr. 9). Der
Begriff *edel* ist auf die Tradition bezogen, auf die vornehme, d. h.
alte Abkunft. Der moderne Rassegedanke liegt hier fern: die *morali-
satio* zielt gegen die unerwünschte soziale Mischung der Ritterschaft
mit den Bauern (vgl. Nr. 6), vor dem Hintergrund einer allgemein
verachtenswerten Mischung zwischen oben und unten – dabei weni-
ger gegen die Ritter als gegen die sozial ambitionierten Bauern (vgl.
zum Ritterbild des Stricker: Vogt, 1985; die Überlegungen von
Wailes, 1981, S. 180 f., die Halbritter seien die unzuverlässigen
Mäzene, überzeugen nicht). Die untergründige Mahnung an die
Ritterschaft ist von dem Lob der *stæte* überwölbt, der Tugend der
Festigkeit, Treue und Zuverlässigkeit, einem Lob zugleich, das die
Allgemeingültigkeit der Fabel wieder in Erinnerung ruft, die nicht
ausschließlich auf einen Stand zu beziehen wäre, deren Figuren
Chiffren sind (vgl. S. 15). – Kosak (1977) S. 180 ordnet diese erste
Jagdallegorie in deutscher Sprache der Tierallegorie zu, die den
Tierparabeln sehr nahe stünde.

# Märchen

## Zur Gattung: Märchen

*Märchen* ist das Diminutivum zu mhd. *mære* (s. S. 250). Wie die anderen Gattungsbegriffe, so ist auch der Märchenbegriff umstritten, seine weiteste Form hat er in der »Gattung Grimm« (*Kinder- und Hausmärchen*), im engeren Sinne umfaßt er hauptsächlich die Zauber- und Novellenmärchen. Ich möchte hier nur seine Anwendung auf den folgenden Text begründen, der ebenso ein Exempel (*bîspel*) ist und auch den folgenden Mären sehr nahe steht. Der Strickersche Text, der ohne Zaubermotive auskommt, gehört am ehesten zur Gruppe der Novellenmärchen. Märchenhaft und von den übrigen Stücken unterschieden ist vor allem das Ambiente, der finstere Wald, und das Personal, der Riese und seine Frau, sowie die Selbstverständlichkeit, mit der die herumirrenden Männer beides annehmen.

*Literatur:* MLL, S. 292–294; RL II, S. 262–271.

## 14
## Der Riese

*Ausgaben:* Me. 31, M. 159; Friedrich von der Leyen (Hrsg.), *Deutsches Mittelalter*, eingel. von Peter Wapnewski, Frankfurt a. M. 1980, S. 532–534; der Titel lautet gewöhnlich *Der Turse*. – *Übersetzung:* Spiewok (1982) S. 49–51. – *Forschungsliteratur:* Schw. (1959/II) S. 64 f.; de Boor (1964) S. 240; Wailes (1981) S. 195 f. [erwägt Entlehnung des entsprechenden Spruches Konrads von Würzburg]; Lutz Mauer, *Untersuchungen zum Hofton Konrads von Würzburg.* Diss. Würzburg 1970 [Masch.], S. 15–17. *Überlieferung:* A 171; E 51; F 31; H 154; K 146.

## Zur Textgestalt

[Überschrift] H, K *ditz schœne mære sol man gerne lesen, / wie ein rise zwelf man gezzen;* E *von einem risen;* F *wie ein türse (türsch) ir zwelf âz.* 1 *vor* statt *bevor* nach H, K, E, F. 33 *en* aus metrischen Gründen zugefügt.

## Zur Übersetzung

12 *türse* (*turse*) ›Riese‹; seit Jacob Grimm (*Altdeutsche Wälder*,
Bd. 3, Frankfurt a. M. 1816, Nachdr. Darmstadt 1966, S. 167–238)
wird das mhd. Wort gerne als Titel der Erzählung gewählt; Grimm
führte die Etymologie auf nordisches *thurs* ›Riese, Wilder Jäger,
Menschenfresser‹ zurück.
23 ff. Anspielung auf das Märchenmotiv »Ich rieche Menschen-
fleisch«.

## Kommentar

Die typische Tierwelt der Fabel ist zugunsten einer ebenso typischen
Märchenwelt verlassen, die das in nordeuropäischen Märchen nicht
seltene Motiv »Ich rieche Menschenfleisch« inszeniert, und das
Epimythion ist auf eine knapp gefaßte Mahnung vor dem Mächtigen
reduziert, der habgierig ist und seine Macht mißbraucht – also nicht
vor dem Mächtigen generell.

# Moralische Erzählungen (Mären)

## Zur Gattung: Märe, Verserzählung, (Vers-)Novelle, Schwank

In den hier versammelten Stücken aus dem Repertoire der kleineren
narrativen Genera dominiert das Erzählen die Lehre und die verglei-
chende Exegese. Eine präzise Gattungsdefinition ist wegen der z. T.
ziemlich großen formalen und inhaltlichen Unterschiede nicht mög-
lich. Die Literaturwissenschaft schwankt zwischen den Begriffen
»Märe« (zu mhd. *mære* ›Kunde, Bericht, [dichterische] Erzählung‹)
und »Novelle« (wegen ihrer Versform gerne: »Versnovelle«). Bis-
weilen lehnt sie sogar eine Zusammenfassung dieser Kleinepik unter
*einem* Begriff ab. Novellen im Sinne der Renaissance und der
Neuzeit sind, abgesehen von der Differenz der Novellentheorien
untereinander, die mittelalterlichen Mären nicht. Nur wer Begriffe
leichtnimmt, wird den Stricker als den »ersten großen deutschen
Novellisten« (Bräuer, 1990, S. 472) feiern wollen. Den Mären liegt
in der Regel nichts an der *novella*, dem individuellen und außer-
ordentlichen Fall. Sie tendieren zum Kasus, zum alltäglichen Fall,
der auf das *exemplum* und die Typik hin ausgelotet ist: *ein man
sprach ze sinem wibe.* Ein solcher Anfang, eine derartige Einführung

in das Personal macht nicht auf dieses Personal neugierig, sondern auf dessen Funktionalität, auf das, was es repräsentiert, auf die ästhetische Chiffre, und sie macht vor allem auch neugierig auf das Erzählen selbst, auf die poetische Entfaltung des Plots. Insofern beherrscht im Märe die Ästhetik die Didaktik.

Hinsichtlich der Typisierung der Personen und Örtlichkeiten wäre das Märe eher der Kurzgeschichte (*short story*) zu vergleichen, doch liegt diese aufgrund ihrer modernen Erzähltechniken zu weit ab von einer intensiveren Vergleichsmöglichkeit.

Hanns Fischer charakterisierte das Märe als »eine der vitalsten Gattungen des späteren Mittelalters« (Fischer, 1968, S. 1) und definierte es als »selbständige, eigenzweckliche Erzählung fiktiver, diesseitig-profaner und unter weltlichem Aspekt betrachteter Vorgänge mit ausschließlich (oder vorwiegend) menschlichem Personal und einer bestimmten (etwa durch die Verszahlen 150 und 2000 äußerlich umschriebenen) epischen Größe« (RL II, S. 702; vgl. Fischer, 1968, S. 62 f.). Er unterschied drei Haupttypen: das schwankhafte, das höfische – es fehlt beim Stricker – und das exemplarische Märe. Gegen diesen Definitionsversuch ist Widerspruch laut geworden: die Bedeutung der Komik sei vernachlässigt und »thematische, stilistische und wirkungsästhetische Kriterien« seien vermischt (Kartschoke, 1988, S. 292), das Märenkorpus sei nicht als gattungsmäßige Einheit zu fassen (Heinzle, 1978, S. 93), deshalb verwende man besser statt des Gattungsbegriffs den Begriff der Erzählform: das Märe sei eine Erzählform zwischen Fall (Kasus) und Geschichte (reiner Erzählung: Roman) sowie zwischen Identifikation, wie sie im Roman möglich wäre, und Distanz (Ziegeler, 1985, S. 455 ff.). Auch in einer solchen dynamischen Definition bliebe noch genügend offen.

Das Märe verband sich, wie z. T. andere Erzählformen auch, gerne mit dem Schwank (zu mhd. *swanc* ›Schwung, Hieb, Streich‹; dann die Erzählung davon), der vor allem im 16. Jh. zu größeren Sammlungen komponiert wurde (Heinrich Bebel, Johannes Pauli, Jörg Wickram, Martin Montanus, Michael Lindener, Hans Wilhelm Kirchhof). Doch schon der Stricker vollbrachte hier mit der Schwankreihe *Der Pfaffe Amîs* eine Pioniertat (s. S. 26). Die Stoffe, gewöhnlich mit Komik und doch auch nicht ohne hintergründigen Ernst präsentiert, gerne auch pointiert durch die »›Übertrumpfung‹ eines anscheinend überlegenen Gegners« (Straßner, 1978, S. 6), sind, wie die des Märe überhaupt, in der Regel lebensnah, ohne deshalb notwendig realistisch zu sein. Die Erotik ist ein wesentliches, vielleicht sogar gattungskonstitutives (vgl. Hoven, 1978) Element, trete sie nun vordergründig auf im erotischen Spiel oder hintergründig, etwa in der poetischen Diskussion der Ehe. Thematisch, vor allem aber strukturell verwandte, im einzelnen aber strittige Beziehungen bestehen zu den französischen Fabliaux, die als Gattung ein halbes Jahrhundert älter sind.

Michael Schröter definiert den Schwank sozialpsychologisch im Gefolge der Zivilisationstheorie von Norbert Elias als eine »Form, in der widerstreitende Gefühle von Faszination und Peinlichkeit einen Kompromiß eingegangen sind, der zugleich die Triebabfuhr erlaubt und die innere Zensur aufrechterhält« (Schröter, 1985, S. 140). Dies gilt namentlich für den Sexualbereich, aber sicherlich in zunehmendem Maße auch für den damit eng verbundenen Aggressionsbereich (Prügel-, Schelt-, Spottszenen) – ob es überzeitlich auf jeden Schwank zutrifft, wäre hier nicht zu erörtern. Für die Literarisierung des Schwanks um die Mitte des 13. Jh.s scheint mir damit ein plausibles Motiv gegeben: die höfische Dichtung hatte gerade durch die hohe Erotisierung der Kultur die Peinlichkeitsschwelle erhöht, nun entstand durch ihre Berührung mit bislang mündlichen Stoffen eine Spannung, die nur als Literatur (Erzählen) bzw. als Lachen aufzulösen war. *Nach* der klassischen höfischen Dichtung war eine problemlose (literarische) Feier von Sexualität und Aggression nicht mehr möglich, die Kleinepik entwickelte sich zur genuinen Form zweier Kulturen, die auf dem Weg zur Humanität einen Ausgleich im Bereich der Gefühlswelt suchten. Was als zunehmende Sinnenlust in der Dichtung erscheint, ist der Vorschein für eine abnehmende Akzeptanz von Sinnlichkeit in der Gesellschaft.

Die Erzählform des höfischen Lebens war der Roman. Das Märe entwickelt sich kontrastiv zu ihm – ohne daß die Kontrastierung die Bedingung seiner Genese wäre. Es parodiert oder kritisiert in einzelnen Vertretern dieses hohe Leben, es beschreibt eine immanente Welt ohne utopische Reflexe, meidet die Zauber-, Wunder- und Märchenwelt und gewährt Einblicke in die Lebensformen und Mentalitäten der verschiedensten Berufe und Stände, ohne dabei eine unvermittelte Darstellung von Wirklichkeit anbieten zu wollen. Der Erzähler des Märe hat sich mit dem Zustand der Welt abgefunden, aus dem er das Beste zu machen versucht, er schreibt im *stilus humilis* oder *mediocris*, nicht im *gravis*, dem pathetischen und erhabenen Ton. Seinen Plot, seinen Kasus pointiert er exemplarisch und löst ihn bei typisiertem Personal in Didaxe auf (s. hier S. 26).

*Literatur:* MLL, S. 148, 294, 329 f., 420; RL II, S. 701–705, hier S. 685–701, III, S. 689–708; Fromm (1962); Bausinger (1967); Fischer (1968); Schirmer (1969); Straßner (1978); Hoven (1978); Ziegeler (1985); Jonas (1987); Grubmüller (1989); Strasser (1990); Leander Petzoldt (Hrsg.), *Deutsche Schwänke*, Stuttgart 1979; Wolfdietrich Rasch, »Realismus in der Erzählweise deutscher Versnovellen des 13. und 14. Jahrhunderts [1941]«, in: Schirmer (1983) S. 15–30; Heinz Rupp, »Schwank und Schwankdichtung in der deutschen Literatur des Mittelalters« (1962), in: ebd., S. 31–54; David Blamires, »Neue Arbeiten zur mittelhochdeutschen Märendichtung« (1970), in: ebd., S. 64–90; Frauke Frosch-Freiburg, *Schwankmären und Fabliau. Ein Stoff- und Motivvergleich*, Göppingen 1971; Heinz Mundschau, *Sprecher als Träger der ›tradition vivante‹ in der Gattung ›Märe‹*, Göppingen 1972; Paul Zumthor, *Essai de poétique médiévale*, Paris 1972; Joachim Suchomski, *›Delectatio‹ und ›Utilitas‹. Ein Beitrag zum Verständnis mittelalterlicher komischer Literatur*, Bern/München 1975; Oskar Roth, »Vom Lai zum Fabliau und zur Novelle«, in: *Neues Handbuch der Literaturwissenschaft*, hrsg. von Klaus v. See, Bd. 8: *Europäisches Spätmittelalter*, hrsg. von Willi Erzgräber, Wiesbaden 1978, S. 189–204; Benno v. Wiese, *Novelle*, Stuttgart 1992 (SM 27); Joachim Heinzle, »Boccaccio und die Tradition der Novelle«, in: *Wolfram-Studien* 5 (1979) S. 41–62; ders., »Märenbegriff und Novellentheorie. Überlegungen zur Gattungsbestimmung in der mittelhochdeutschen Kleinepik« (1978), in: Schirmer (1983) S. 91–110; Jan-Dirk Müller, »Noch einmal: Märe und Novelle. Zu den Versionen des Märe von den *Drei listigen Frauen*«, in: Alfred Ebenbauer (Hrsg.), *Philologische Untersuchungen gewidmet Elfriede Stutz*, Wien 1984, S. 289–311; Ertzdorff (1989; s. S. 29, Anm. 55) S. 41–44.

## 15
## Der kluge Knecht

*Ausgaben:* GSA Nr. 61 (*Der geäffte Pfaffe*); Me. 25; F. 8; M. 58. – *Übersetzungen:* Fischer (1973) S. 148–152; Annalisa Viviani (Hrsg.), »*Die Nonne im Bade*« *und andere deftige Schwänke des Mittelalters*, Königstein i. Ts. 1986, S. 121–128; Grosse/Rautenberg (1989; s. Nr. 3) S. 263. – *Forschungsliteratur:* Vgl. AT 910 B; GSA S. XXLX–XXXV; Bausinger (1961); Rupp (1962; s. o.) S. 43; Fischer (1968) S. 362, 470; Schirmer (1969) S. 114 f.; Frosch-Frei-

burg (1971; s. S. 253) S. 80–86; Kosak 1977; Straßner (1978) S. 40 f.;
Hoven (1978) S. 49–52, 352 f.; Strasser (1980) S. 92–94; Strasser
(1989) Reg., S. 383; Ragotzky (1981) S. 83–92; Ehrismann (1984)
S. 29–32; Jonas (1987) S. 54–81; Bräuer (1990) S. 491; Klaus Hufe-
land, *Die deutsche Schwankdichtung des Spätmittelalters. Beiträge
zur Erschließung und Wertung der Bauformen mittelhochdeutscher
Erzählungen*, Bern 1966, S. 110–112. – *Überlieferung:* A 62; H 182;
H 209 (stark abweichend; Abdrucke bei F. im Apparat und M.,
synoptisch zu A).

## Zur Textgestalt

[Überschrift] In H 182 stark radiert; H 209 *ditz ist von einem pfaf-
fen / der wart dar nâch zeinem affen.*    42 *vrüewen,* hs. *fru(e)n;* F.
*vrüejen.*    89 *si* nach H.    93 *holde,* A *fulte,* aus *hulte* gebessert,
wahrscheinlich liegt *holte* zugrunde; so auch H *holt.*    95 *vochen-
zen,* Hs. *vohenzent;* vgl. 241.    128 *gâz,* hs. *gazze* (nach M. stark
dekliniertes Partizip); H *gezzen.*    202 *in* (H); A *im,* dies würde
sich auf den Knecht beziehen.    226 *värkelîn,* hs. *værelin;* auch
*värhelîn* wäre möglich (so F.; vgl. Mhd. Gr., § 140).    240 *der* (H;
so auch F.); A *daz;* M. vermutet eine Verallgemeinerung durch *daz,*
doch ist dem schwer zu folgen.    249 H (und F.) schiebt *selben*
zwischen *den* und *stein,* was aus metrischen Gründen nahe
liegt.    281 ff. F. folgt der eleganteren Version in H: *und gevie den
pfaffen bî dem hâr / er sprach: 'nu bin ich zewâr / dîner mære an ein
ende komen.'*    286 F. folgt wiederum H: *ê ez taget.*    295 F. folgt
H: *swaz er.*    334 F. folgt H: *und würde im vîent umbe daz.*

## Zur Übersetzung

14 *hövisch* ›zum Hof gehörend‹, eines jener positiven Signalwörter,
mit denen sich die »höfische« Gesellschaft schmückt; hier jedoch
pejorativ gebraucht und auf die Eitelkeit der Frau (s. Komm.)
bezogen.
20 Mhd. *pfaffe* ›Priester‹ ist nicht aus sich abwertend wie heute, im
vorliegenden Kontext liegt pejorative Verwendung jedoch nahe.
23 Der *minnediep* verstößt gegen die Regeln des Minnedienstes, weil
er diesen heimlich betreibt; er ist hier, in der Parodierung der
höfischen Welt, zum Ehebrecher geworden.
28 ff. In dieser Passage sieht Strasser (1980) S. 93 f. das Tagelied als
literarischen Hintergrund.
95 *vochenzen,* zu mlat. *focatia.*

109–111 Die Verse wenden sich an das Publikum, sie gehören nicht zu den Gedanken des Pfarrers.

120 Zu *affe* ›Narr‹ vgl. auch Nr. 12, V. 30, und die Überschrift in H 209.

136 Also im Galopp; vgl. Nr. 13, V. 26.

164 *ze sumere* bezieht sich auf den Jahresablauf der Dreifelderwirtschaft: Brachfeld, Winterfeld, Sommerfeld. Das Sommerfeld wird im April gepflügt, um die Weide für die Sommerfrucht vorzubereiten (vgl. Hermann Aubin / Wolfgang Zorn (Hrsg.), *Handbuch der deutschen Wirtschafts- und Sozialgeschichte*, Bd. 1, Stuttgart 1971, S. 96).

290 Der Vers könnte wohl auch bedeuten: ›was er nicht einhielt‹; wodurch die Schelmenhaftigkeit des Pfaffen unterstrichen wäre.

297 ff. Die Strafe entspricht mittelalterlichem Brauch und hätte härter ausfallen können, denn bei Ehebruch konnte auf Todesstrafe erkannt werden (vgl. Rudolf His, *Das Strafrecht des deutschen Mittelalters*, Bd. 1, Leipzig 1920, S. 479); vgl. auch *Das Bloch* (M. 145).

308 *vriuntliche* ›wie für einen Freund‹, hier jedoch allgemeiner.

309 ff. Im Begriff der *kündikeit* fallen ›Verstand‹ und ›Klugheit‹ zusammen.

316 *hövischliche* steht hier wohl zwischen der konkreten Bedeutung, die auf den Hof bezogen ist, und der allgemeineren, die sich auf die Kultiviertheit bezieht (s. Komm.).

319 *daz* bezieht sich auf das Vorausgehende wie auf das Folgende.

## Kommentar

In das gattungsspezifische Ehebruchthema (s. EM III, Sp. 1068–77) mit dem typischen erotischen Dreieck – hier auch eine Kontrafaktur des fiktionalen höfischen Lebens – von geilem Pfaffen, böser Frau und dummem Ehemann ist eine Entlarvungsgeschichte eingeflochten, die das Lob der *gevüegen kündikeit* wohl verdient, das die *moralisatio* verkündet. Der Erzähler/Dichter verbindet mit diesem Begriff eine vernünftige, lebenspraktische Klugheit, die vorausschauend gesellschaftliche Konflikte ebenso verhindert wie privates Unglück.

Das Erzählmotiv *Der kluge Knecht* führt bis auf den Mythos vom *Sklaven* Äsop zurück. Schon deshalb wäre eine allzu geradlinige sozialgeschichtliche Ausdeutung dieser Erzählung problematisch: die Motive von Knecht und Priester sind Chiffren, sie dienen weder dem Lob des einfachen Volkes noch der generellen Kritik an der Geistlichkeit, sondern der – auch theologischen – Forderung, gemäß der *gevüegen kündikeit* zu handeln, die als die wahre *hövischeit* gefeiert wird (vgl. S. 25 ff.). Daß sich in diesem Rahmen geistlich-kritische Töne gegen Hoffart, Völlerei und Sexualität einfinden, versteht sich von selbst, doch sie stellen nicht das Hauptziel dar und sind zudem durch Witz und Komik relativierend überformt. Der Stricker weiß, z. B. in seiner Rede *Das weiße Tuch*, die Priester-schaft durchaus in ihre guten und schlechten Vertreter zu sondern, und er warnt davor, sich an den schlechten ein Vorbild zu nehmen (ebd., V. 186 ff.).

In der Neuwertung des Höfischen unterläuft der Erzähler den realhistorischen Anspruch der Höfe, alleiniger Träger der Zivilisation zu sein, zugunsten einer pragmatischen Intelligenz. Der Begriff des Höfischen umrahmt die Erzählung (s. V. 16, 316, 318), die sich auf diese Weise in Strickers Chiffre des dummen Bauern einfügt und eine Parodie des vergeblich versuchten höfischen Lebens ist: des Hochmuts und der Hoffart, die z. B. in der geistlichen Rede *Processus Luciferi* (M. 13) ganz im Sinne des Thomas von Aquin (vgl. hier S. 28 ff.) als die Mutter aller Sünden gebrandmarkt wird. In *Von der Hoffart* (M. 81) hat der Stricker diesem Charakterzug eine eigene kleine Rede gewidmet und ihn dem Teufel zugeordnet, der nach der Theologie der Zeit die Sünden verursacht.

Nach Ragotzky (1981, S. 89) wird der »soziale Bedeutungsrang« der *kündikeit* »konsequenterweise am höfischen Bereich festgemacht«, weil dies eben der »genuine Bereich der *vuoge* sei«. So ganz mag dies nicht einleuchten, denn auch die Geistlichkeit hätte für den Bereich der *kündikeit* und der *vuoge* zur Verfügung gestanden – es liegt deshalb nahe, hier doch die Parodie als systemprägendes Textkonsti-tuens in den Vordergrund zu stellen und eine Hofkritik mit insze-niert zu sehen.

Das Epimythion ist nicht zwingend und nicht diskursiv entwickelt – wir würden heute vor allem einen Tadel des Ehebruchs erwarten. Doch ist dieser nur das Erzählmaterial, es geht hier nicht um Moral und Eifersucht – auch dem Bauern nicht –, sondern innertextlich um Fragen des Besitzes und des öffentlichen Ansehens, erzählerisch um die Demonstration eines Kasus für kluges Verhalten. Nach Thomas von Aquin (vgl. hier S. 29), der sich dabei auf die *Ethymologien* Isidors und die *Ethik* des Aristoteles bezieht, zeichnet sich der Kluge durch den guten Ratschlag und das rechte Urteil aus, und er braucht durchaus nicht den oberen Ständen anzugehören.

In Kirchhofs Sammlung *Wendunmuth* 1563 (Nr. 323: *Der Student als Schwartzkünstler*) ist die Fabliau-Tradition aufgenommen, und es geht jetzt nicht mehr um die Rettung der Ehe. Die Motiv-Übereinstimmungen zu dem Fabliau *Le povre Clerc* hat Frosch-Freiburg herausgearbeitet, die tatsächlichen Beziehungen zwischen beiden Texten, die etwa zeitgenössisch sind, sind jedoch nicht mehr aufzuhellen.

## 16
## Der nackte Ritter

*Ausgaben:* GSA Nr. 59 (*Der bloßgestellte Ritter*); F. 10; M. 85. – *Übersetzung:* Spiewok 1982, S. 31–33 (*Der entblößte Ritter*). – *Forschungsliteratur:* Agricola (1954) S. 37–39; Rupp (1962; s. hier S. 253) S. 43; Fischer (1968) S. 363 f., 471 f.; Schirmer (1969) S. 38 f.; Straßner (1978) S. 40 f.; Ziegeler (1985) S. 162–165; Vogt (1985) S. 107–110; Strasser (1989) Reg., S. 384; Fritz Peter Knapp, *Chevalier errant und fin'amor. Das Ritterideal des 13. Jahrhunderts in Nordfrankreich und im deutschsprachigen Südosten*, Passau 1986 [zu Figur und Ideologie des herumziehenden Ritters]. – *Überlieferung:* A 94; B 47; E 1; H 181; I 43 (Wolf, 1972, 69vb–70rb); K 171.

### Zur Textgestalt

[Überschrift] H *ditz ist ein seltsæne vart | wie ein ritter entnacket wart;* K *hie wart entnacket ein ritter | daz saget uns der Stricker;* E *von eime ritter;* B, I *von des wirtes gaste.* 1 *ritter,* hs. *riter.* 13 B, I schreiben dezenter *hiez er zuo im sitzen zehant.* 29 *houbet,* H, K *stirnen.* 34 E, B, I beginnen die Rede mit *ir sint in einer guoten habe.* 35 F. folgt H, K und fügt *sprach er* ein. 47 *liep,* hs. *liebe* (adverbialer Gebrauch). 50 *læge gerner;* B, I ändern die etwas ungewöhnliche Konstruktion in *ich leit gern.* 64 *dâ wart;* F. übernimmt *dô* von H, K und *wart* von A. 76 E, B, I *dô schamten si sich vür den gast.* 78 *schame* statt *schanden* in E, B, I.

### Zur Übersetzung

17 *stube* ›heizbarer Raum‹, besonders eine Badestube oder – wie hier – ein Speisesaal (vgl. Wilhelm Pinder, *Innenräume deutscher Vergangenheit aus Schlössern und Burgen, Klöstern, Bürgerbauten und Bauernhäusern*, Königstein i. Ts. / Leipzig 1924).

33 *roc* ›Obergewand, Kleid‹; zur Kleidung im Mittelalter: Elke Brüggen, *Kleidung und Mode in der höfischen Epik des 12. und 13. Jahrhunderts*, Heidelberg 1989 [zu *roc* S. 241–244].

67 ff. Die spärliche Kleidung ist Zeichen für die Armut des Gastes.

69 *bruoch* ›kurze, bis ans Knie reichende Hose‹, die durch einen Gürtel gehalten wird und die die Männer unter dem Obergewand tragen; an ihr werden die Strümpfe mit einem Riemen befestigt; ohne *bruoch* zu gehen gilt als unanständig (Brüggen, 1989, S. 210, s. Anm. zu V. 33; Max von Boehm, *Die Mode. Eine Kulturgeschichte vom Mittelalter bis zum Barock*, München 1976, S. 79; Alwin Schultz, *Das höfische Leben zur Zeit der Minnesinger*, Bd. 1, Leipzig 1889, S. 290 ff.).

69 *hemde:* Untergewand der Dame und des Ritters (s. Brüggen, 1989, S. 223–225, und Anm. zu V. 33).

84 ff. Der lahme Gaul zeugt wie die Kleidung für die Armut.

## Kommentar

Die Kritik des höfischen Lebens ist zweischichtig:

1. Der Spott der Erzählung trifft den, der ohnehin nichts zu lachen hat, und zwar deshalb, weil er sich ein Verhalten anmaßt, das seinen tatsächlichen Lebensverhältnissen nicht entspricht – er ist der aus dem *ordo* ausgebrochene Scheinritter.

2. Mit der Entblößung des Gastes ist auch die Welt entlarvt, die ihn so lange nicht durchschaut und die unter dem Ehre-Zwang über ihre Verhältnisse lebt.

Auf keine der Schichten zielt die überraschend oberflächliche und dadurch typisch märenhafte *moralisatio* ab. Sie unterdrückt das gesellschaftskritische Potential des Stoffes durch eine Reduktion auf das Thema des Gastwillens.

17
### Die eingemauerte Frau

*Ausgaben:* F. 6; M. 118. – *Übersetzung:* Spiewok (1982) S. 641–649. – *Forschungsliteratur:* AT 901; Schw. (1959/II); Fischer (1968) S. 361, 468; Schirmer (1969) S. 235 f.; Wailes (1978); Köppe (1977); Strasser (1980) S. 82–84; Ehrismann (1984) S. 28 f.; Ziegeler (1985) S. 205–209; Vogt (1985) S. 103–106; Thamert (1986) S. 136–165; Jonas (1987) S. 81–89; Strasser (1989) Reg., S. 383; Bräuer (1990)

S. 488 f.; Franz Brietzmann, *Die böse Frau in der deutschen Literatur des Mittelalters*, Berlin 1912, Neudr. New York / London 1967; Manfred Wierschin, »Einfache Formen beim Stricker? Zu Strickers Tierbispel und seinen kurzen Verserzählungen«, in: Ingeborg Glier [u. a.] (Hrsg.), *Werk – Typ – Situation. Studien zu poetologischen Bedingungen in der älteren deutschen Literatur. Hugo Kuhn zum 60. Geburtstag*, Stuttgart 1969, S. 118–136; Stephen L. Wailes, »Immurement and Religious Experience in the Stricker's *Eingemauerte Frau*«, in: Beitr. (Tübingen) 96 (1974) 79–102; Joachim Suchomski, »*Delectatio*« und »*Utilitas*«. *Ein Beitrag zum Verständnis mittelalterlicher komischer Literatur*, Bern/München 1975, S. 187 ff.; Sylvia Wallinger / Monika Jonas (Hrsg.), *Der Widerspenstigen Zähmung. Studien zur bezwungenen Weiblichkeit in der Literatur vom Mittelalter bis zur Gegenwart*, Innsbruck 1986 [vor allem: Monika Jonas, »Idealisierung und Dämonisierung als Mittel der Repression. Eine Untersuchung zur Weiblichkeitsdarstellung im spätmittelalterlichen Schwank«, in: Ebd., S. 67–93]. – *Überlieferung:* A 127; B 35; E 3; I 33 (Wolf, 1972, 60rb–62ra).

### Zur Textgestalt

[Überschrift] E *von eime ritter und von sîner vrouwen*; B *von einem übeln wîp*; I *von einem übeln, bœsen alten wîp / alles ungelücke gê an iren lîp*.     7 E, B mildern ab und schreiben *vlêhen* statt *slege*, das F. wohl aus Gründen der Variation übernimmt.     14 E schwächt *brach* zu *zôch* ab.     65 *halsete*, hs. *halst*; F. *halste*.     77 *wîle*, F. folgt mit *teil* E, B, I.     123 *biz*, F. folgt mit *daz si* E, B, I.     129 F. tilgt nach E, B, I *zehant*.     138 B, I bitte sie um den Tod: *sô ich armiu ersterbe*.     168 *übel*, hs. *wol*; es könnte von 166 herabgerutscht sein; mit F. folge ich E, B, I, die hier sinnvoller sind.     185 hs. *mir* ist nach E, B, I (und F.) in *ir* geändert.     191 E, B, I schreiben schwer durchschaubares *nâch iuwer unheil*, wobei *nâch* wahrscheinlich temporal gebraucht ist.     193 Statt *gezürnet* schreiben E, B, I *gesündet* und bezichtigen damit bemerkenswerterweise auch den Mann der Schuld.     236 Statt *mûre* schreiben B, I *gadem*; E *tür*.     238 F. variiert wie E, B, I *hiez* mit *bat*.     239 hs. *der* standardisiert F. zu *dâ*.     250–254 sind in E, B, I durch den Vers *daz wart zuo hant gevarn lân* ersetzt.     306 *gerlîche*, das seltene Wort ersetzen B, I durch die Wendung *sô gelîche*; E durch *begirlîche*; F. wählt gegen Lexer, aber in Anlehnung an die Hs. A (*gærlich*), die Schreibung *gärlîche*.     309 E, B, I schreiben *het* statt *hat*,

wählen also (wie F.) den Konjunktiv und damit indirekte
Rede.    328 *schuldic*, hs. *sculdich*.    342 F. läßt sich die reizvolle
*variatio* entgehen und wählt die Variante E: *senfte ir daz g.*    355 E
formuliert vorsichtiger *dô er si bringen tar her*, »wenn er sich traut,
sie herzubringen«.    356 E, B, I schreiben statt *der sælden*: *des
selben*.    389 B, I verallgemeinern zu *wurden die vrouwen*.    396
*wære* nach E, B, I; A hat *wart*.    Nach 400 setzen B, I zwei
Zusatzverse: *Hie ist daz mære ûz gezalt / got mache uns mit guoten
wîben alt.*

## Zur Übersetzung

12 f. Diese Redensart verwendet der Stricker auch in *Von bösen
Frauen* (M. 119, V. 626 f.); sie drückt die völlige Gleichgültigkeit
gegenüber dem »Gegenstand« aus.

21 *sîte* bezeichnet die Seite oberhalb der Hüfte.

32 *zuht* gehört zu den Signalwörtern der höfischen Kultur (s. S. 220)
und bezieht sich auf die vollkommene Beherrschung des höfischen
Zeremonialhandelns.

35 Wörtl.: ›Sie verhieß ihm ein großes Unglück‹, d. h., sie drohte,
ihm schwer zu schaden.

36 ff. Die eingemauerte Frau ist die Inkluse (Rekluse), die diese
Lebensform normalerweise selbst zu ihrer religiösen Vervollkomm-
nung wählt (s. *Lexikon für Theologie und Kirche*, Bd. 5, Sp. 679 f.,
und Wailes, 1974, s. Nr. 17) und die hier zu dieser Lebensform
gezwungen wird, in der sie die Vervollkommnung allmählich
erreicht. Der Einschließungsritus ahmt den Beerdigungsritus nach,
die Inklusen gelten als Gefangene Christi. – Strasser (1980) S. 82 ff.,
möchte das Motiv der Gefangenschaft in einem türlosen Raum auf
den Lancelotroman, den sie nach Chrétien de Troyes zitiert, be-
ziehen.

78 Daß *vriunde* und *mâge* (V. 73) identisch sind und im Konfliktfall
die Frau unterstützen, zeigt sich z. B. auch in *Das erzwungene
Gelübde* (M. 142, V. 159; F. 2, V. 155). Man beachte die Schutz-
und Kontrollfunktion der Verwandten und der Nachbarschaft
(Freunde) in der mittelalterlichen Gesellschaft, die dem Ehemann
keine uneingeschränkte Aggressivität erlaubt (vgl. Schröter, 1985,
S. 142–145; s. auch Nr. 19).

115 ff. Die böse Frau wird als eine Besessene interpretiert; vgl. auch
V. 163 ff. und *Von bösen Frauen* (M. 119, V. 111 f.). Die Verse
schildern den Umschwung vom Typ der bösen zum Typ der guten
Frau.

125 Zu *pfaffe* vgl. Nr. 15 (S. 254); hier ist dagegen die Berufsbezeichnung nicht in abwartendem Sinne gebraucht.

135 Die *helfe und rât*-Formel entstammt dem Lehnswesen und bezieht sich auf das Verhältnis von Herr und Vasall: Beide sind einander zu *consilium et auxilium* verpflichtet (s. einführend: François Louis Ganshof, *Was ist das Lehnswesen?*, Darmstadt ⁶1983).

153 *hulde* entstammt wie die Formel V. 135 gleichfalls dem Lehnswesen; es könnte hier zudem in Zusammenhang mit V. 156 gesehen werden, so daß die *hulde* des Mannes und diejenige Gottes identisch wären; deshalb ist die Variation ›Zuneigung – Gnade‹ vielleicht problematisch, und es müßte beidemal ›Gnade‹ heißen.

212 *tac* dürfte hier nicht nur auf den Tag bezogen sein, zumal es die Zeit überhaupt bezeichnen kann.

263 *êren*, hier wohl ›zu dienen und zu ehren‹.

266 Die Formel *leien unde pfaffen* steht für ›alle Welt‹.

286 f. Gemeint ist, daß Gott ihr ein langes Leben schenken möge.

310 ff. Hier klingt die höfische Lebensformel »Gott und der Welt gefallen« an (vgl. Nr. 1, S. 232).

349 *(e)z* in *woldenz* bezieht sich sowohl auf die eben gehörte Rede wie auf das Verhalten der Frau insgesamt.

353 ff. Gemeint ist, daß auch der Mann mitbüßt, indem er seine Frau herbringen muß.

399 *meisterschaft:* Die Herrschaft in der Ehe gebührt dem Herrn. Daß es sich dabei ganz real um physische Stärke ebenso handelt wie um sexuelle Dominanz, hat Schröter (1985) S. 130 u. ö. gezeigt.

## Kommentar

In der vorliegenden Erzählung hat der Stricker das Schwankmotiv der bösen Frau, speziell dasjenige von der Widerspenstigen Zähmung (s. EM III, Sp. 1077–82), mit dem Legendenmodell (Zustand der Sünde → Bekehrung → Zustand der Heiligkeit) verbunden und zum religiösen Märe weiterentwickelt. Eine bekannte Fassung der Frauenzuchtgeschichte stammt aus der Wende zum 14. Jh. und wurde dem Dichter Sibote zugeschrieben (Friedrich von der Hagen, *Neues Gesamtabenteuer*, hrsg. von Heinrich Niewöhner, Bd. 1, Berlin 1937, Nr. 1: *Die gezähmte Widerspenstige*; Übers. bei Fischer, 1973, Nr. 5); sie könnte kontrastierend zur Strickerschen Variante gelesen werden. Auch hier geht es um die Brechung des Willens, doch bleibt dieser Schwank, selbst wenn sich der Mann auf seiten Gottes fühlt, ganz auf der erotisch-sexuellen Ebene –

Motiv: die Frau als Reittier – und öffnet keine theologische Dimension.

Die böse Frau ist stets diejenige, die auf ihrem Willen beharrt, und dies heißt immer auch: die den Willen Gottes nicht anerkennt (vgl. S. 23 f.). So legt es die Rede *Von bösen Frauen* (M. 119) recht ausführlich dar. Die Frau ist das Gefäß des falschen Willens, denn nur der rechte (vernunft-/verstandesgeleitete) führt zur *beatitudo*, nur der gute Wille ist auf Gott gerichtet. Was der Wille Gottes ist, bestimmt Gott selbst, nicht der, der meint, ihn zu erfüllen, wie die bekehrte Frau, die das Gemach nicht mehr verlassen möchte – sie hätte den Bekehrungsplan Gottes unterlaufen.

Schritt für Schritt entdeckt sich in dieser Erzählung dem Publikum die theologische Transparenz der *narratio*. Die profane Geschichte vom ehelichen Alltag, in der der Mann seine Herrschaft über die Ehe zurückgewinnt, ist zu einer Allegorie der Kommendation (lehensrechtliche Übergabe) der liebenden Seele an Christus gestaltet. Aus dem Fenster schauend würde die wirkliche Inkluse an der Feier des Meßopfers teilhaben und die göttliche Wesenheit erblicken können – die böse Frau sieht nur die irdische *wirtschaft*, und die Feier der Teilhabe ist ihr verwehrt: bis in Einzelheiten hinein ist die Kontrastierung der beiden Frauentypen gestaltet: das *übel wîp* als eine Kontrafaktur der Heiligen. Inwieweit die erstarkende Mystik das Thema mit provozierte, muß offen bleiben.

Das Epimythion fällt von der theologisch-symbolischen Höhe ab – hier gewiß provokativ und durch das die Erzählform aufbauende Schwankmotiv hervorgerufen. Dieses weitet der Erzähler/Dichter allerdings nicht übermäßig aus, im Hinblick auf die gesamte Geschichte hält er es sogar recht klein, wie der wohlstrukturierte Aufbau seiner Erzählung zeigt:

   Einführung (V. 1–35: 35)
   Die eingemauerte Frau (V. 36–71: 36)
   Die Verwandten (V. 72–108: 37)
      Das Gespräch der Frau mit dem Priester (V. 109–176: 68)
      Das Gespräch des Mannes mit dem Priester (V. 177–224: 48)
   Das Entsagungsgelübde (V. 225–312: 88)
   Die Botschaft an die Welt (V. 313–358: 46)
   Die Frau als Heilige (V. 359–395: 37)

Den größten Umfang beansprucht das Entsagungsgelübde. Der Priester als Vermittler zwischen Mann und Frau, zwischen Christus und der Seele, erhält die herausragende Mittelstellung, nicht die

Szenen der Eheparodie und der Rückholung der Ehe. Trotz solcher streng religiösen Überformung bleibt die Erzählung – und dies macht ihren heutigen Reiz aus – zum Erzählspaß hin offen, und gerade der Schluß, der das Thema der bösen Frau noch einmal generalisierend und ironisierend aufnimmt, relativiert den theologischen Ernst und demonstriert die potentielle Fröhlichkeit des mittelalterlichen Katholizismus.

## 18
## Das Ehescheidungsgespräch

*Ausgaben:* GSA Nr. 34 (*Scheidung und Sühne*); F. 3; M. 163. – *Forschungsliteratur:* Agricola (1954) S. 29 ff.; Fischer (1968) S. 361, 467; Schirmer (1969) S. 15, 235, 242; Köppe (1977); Straßner (1978) S. 40 f.; Strasser (1980) S. 94–99; Ehrismann (1984) S. 36 f.; Strasser (1989) Reg., S. 383; Hans Eggers, »Zahlenkomposition und Textkritik«, in: Paul Valentin / Georges Zink (Hrsg.), *Mélanges pour Jean Fourquet*, Paris/München 1969, S. 75–84. Vertiefend zur Geschichte der Ehe: Schröter (1985). – *Überlieferung:* A 205; H 136; K 129. H, K dehnen die Erzählung durch Zusatzverse aus, die allerdings kaum neue Aspekte eröffnen.

### Zur Textgestalt

[Überschrift] H, K *ditz mære ist von man und von wibe | die bî ein ander wolden niht beliben.* 22 hs. *werde* nach V. 86 in ursprüngliches *wirde* geändert. 42 H, K mildern zu *hartz.* Nach 42 H, K *du bist aller wibe unêre, | du schadest der werlde sêre, | die liute engeldent alle dîn, | daz si alle unsælic müezen sîn. | mir wart nie bœser wip kunt. | der mir gæbe drîzic pfunt, | daz ich unz morgen bî dir wære, | die wæren mir unmære.* 46 H, K (und F.) *mîle.* 91 f. lauten H, K *ich bin immer mit dir, | der tôt scheide dich von mir.* Nach 124 H, K *dîn vil minniclîcher lip, | der machet sælic elliu wip; | diu werlt solt elliu wesen dîn. | dune möhtest* (hs. *mochtez*) *nimmer bezzer sîn. | got enwart nie bezzer wip kunt, | du soldest junc unde gesunt [...].* 133 f. hs. synkopiertes Präteritum *machet/lachet* ist auf die klassische Form zurückgeführt.

## Zur Übersetzung

**36** Der Vers ist auch ein Hinweis auf die Besessenheit der Frau (vgl. Nr. 17, V. 115 ff.).

**39 ff.** Strasser (1980) S. 95 interpretiert die folgende Rede als »Zerrbild« der *hohen minne.*

**40** *karc* wäre auch mit ›hinterlistig‹ oder ›knauserig‹ wiederzugeben, was jedoch aus der Liste der folgenden körperlichen Makel herausfiele; deshalb ist ›unfruchtbar‹ gewählt. Die Unfruchtbarkeit gehörte im Mittelalter zu den physischen Defekten und galt als Zeichen teuflischer Besessenheit.

**42** Vgl. »Zur Textgestalt«.

**70** *vriunde* bedeutet nicht nur ›Freunde‹, sondern auch ›Verwandte‹ (vgl. Nr. 17, V. 72 ff.; Nr. 9).

**102** Der Mann versucht offenbar auf höfisches Kommunikationsniveau überzuwechseln, weshalb *vrouwe* mit ›Herrin‹ übersetzt ist; natürlich gelingt ihm dies nicht, und er hätte seine Frau auch siezen müssen.

**108** In der Gestik des sich der Lehnsterminologie bedienenden Minnesangs versucht der Mann seine Frau zu besänftigen.

**114** *Pfaffe* steht hier für den gebildeten Menschen schlechthin; zudem gehört die Kennerschaft der Geistlichkeit in Liebesdingen zur Topik der mittelalterlichen Dichtung.

**116 f.** Ein in der höfischen Dichtung, sowohl in der Epik wie im Minnesang, bekannter kosmischer Schönheitsvergleich.

**124** Also der Menschheit; vgl. die Ausweitung des höfischen Flairs in H, K.

**138** Mhd. *wise* bezeichnet die Melodie, *hôhe* bezieht sich auf die Tonhöhe, die hier jedoch mit der seelischen Stimmung parallelisiert ist. Strasser sieht in ihrem Bemühen, höfische Motive in den Mären nachzuweisen, hier eine Anspielung auf die »Weise des Hohen Minnesangs« und verweist auf Neidhart, der einen Dörfler *in hôher wise* seine *wineliedel* singen läßt (Nr. 20, Str. 6) und ihn dadurch als anmaßenden Bauern bloßstellt; dies führt zu weitreichenden Spekulationen – wenn überhaupt der hohe Minnesang zitiert wird, dann im Gesamtzusammenhang des Märe allenfalls als ironische Reminiszenz (s. Komm.).

## Kommentar

Die Erzählung besticht durch ihre einfachen und strengen gegenläufigen dialogischen Bewegungen: der ausgiebigen *vituperatio* (d. i. die rhetorische Figur der Schelte, V. 2–50) folgt die Abwehr der Frau (V. 51–97) und die Reue des Mannes (V. 98–125). Der Autor arbeitet variantenreich mit der Figur der *amplificatio*, die er bei der Schelte gegen die Frau zur *hyperbole* steigert. Die Aufkündigungsrede ist als Parodie des ehelichen Konsensgespräches durch Sprunghaftigkeit und drängende Eile gekennzeichnet: nach der Jahresfrist, dem Zeichen für das ewige Beisammensein, eilt sie im Zehnertakt die Wochen rückwärts (40 : 30 : 20), verlangsamt auf den Vierertakt (20 : 16 : 12), verweilt rückwärts beschleunigend beim Zweiertakt (12 : 10 : 8 : 6 : 4 : 2), nimmt den Vierertakt nochmals in der Zahl der Tage auf (7 : 3), ebenso den Zweiertakt (3 : 1) und endet bei Null – wo man normalerweise begänne, wenn das Ganze nicht ein rhetorischer Spaß wäre. Anders die Frau, die zielstrebig im Einertakt vorgeht: zunächst in den Tagen, dann den Wochen; sie springt auf vierzig, mit denen ihr Mann die differenzierte Zählung begonnen hatte und endet mit der biblischen Eheformel, durch die sie den Konsens wiederherstellt. Die Frau beherrscht in Wirklichkeit die Situation, während beim Mann Machtanspruch und tatsächliche Macht erheblich auseinanderdriften. So betreibt er denn auch in der Reuerede Schadensbegrenzung durch das Eingeständnis des Außersichseins. Diese *ekstasis*, das Verlassen des *ordo*, ermöglicht überhaupt erst die Ironisierung des Mannes.

Dies alles ist purer Schwank, ein rhetorisches Kabinettstückchen, das wahrscheinlich weder soziologisch noch mentalitätsgeschichtlich allzu tief ausgedeutet sein will und dem vielleicht gerade deshalb die sonst übliche *moralisatio* fehlt – allenfalls eine implizite Moral wird objektiv: das Festhalten an der Ehe. Schwanksituation und Ehemoral enttarnen im Kontext der Literarisierung des Schwanks als antihöfischer Form (s. S. 252) das *Ehescheidungsgespräch* – auch, freilich nicht ausschließlich und nicht zwingend – als eine Parodie des höfischen Minnelebens.

19
## Die drei Wünsche

*Ausgaben:* GSA Nr. 37; Me. 23; Röhrich (1962) S. 62–67; F. 1; M. 26. – *Übersetzung:* Spiewok (1982) S. 269–273; Grosse/Rautenberg (1989; s. Nr. 3) S. 262. – *Forschungsliteratur:* AT 750 A; GSA II, S. XXII–XXVI; Brietzmann (1912; s. Nr. 17); Agricola (1954) S. 34 ff.; Röhrich (1962) S. 62–79, 253–258; Fischer (1968) S. 364, 472; Wierschin (1969; s. Nr. 17); Margetts (1972); Köppe (1977); Straßner (1978) S. 40 f.; Strasser (1989) Reg., S. 384; Bernhard Sowinski, »*Die drei Wünsche* des Stricker. Beobachtungen zur Erzählweise und gedanklichen Struktur«, in: Karl-Heinz Schirmer / B. S. (Hrsg.), *Zeiten und Formen in Sprache und Dichtung. Fs. für Fritz Tschirch zum 70. Geburtstag*, Köln/Wien 1972, S. 134–150. – *Überlieferung:* A 35; B 38; E 40; H 137; I 35 (Wolf, 1972, 62va–63va); K 130; n; cc.

### Zur Textgestalt

[Überschrift] H *ditz ist ein mære ze halten / von drîn wünschgewalten;* K *ditz ist ein mære von drîn wünsch- / gewalten zuo einer lêre;* E *von eim man und von sînem wibe;* cc *ie ein armez wîp und ir man / lâgen got umbe guot an;* B, I *ein mære von drîen wünschen.*     17 hs. *schulte* ist dem Reim *hulde* angeglichen.     66 F. übernimmt zugunsten des Reims auf *hân* H, K, E, B, I *dâ hât mir got gewalt getân;* vgl. Mhd. Gr., § 288, Anm. 1.     Nach 94 Zusatzverse in E, B, I: *und biten in niht mêr umbe guot, / er hât ervollet unsern muot.* Nach 114 zwei Zusatzverse in E, B, I: *durch die triuwe, die du mir / leisten solt und ich dir.*     125 hs. *gestatest* nach E, H, K, B, I (und F.) in *be-* geändert.     131 F. ergänzt mit H, K, E, n, B, I *ie wart.*     154 hs. *burgern,* auch *burgære* wäre rekonstruierbar; D *gebûren;* E, B, I *liute.*     163 hs. *zuchten;* F. *zucten;* vgl. Mhd. Gr., § 262.     168 *sament* aus metrischen Gründen; A (und F.) *samt.*     172 *war,* das Verb (Inf. *werren*) ist von späteren Schreibern (außer cc) nicht mehr verstanden und mit *werden* (Prät. *wart*) zusammengebracht worden.     179 hs. *schuld* ist (mit F.) auf *schulde* zurückzuführen, da die Auslautverhärtungen im allgemeinen vom Schreiber beachtet werden.     186 H, K, E, B, I (F.) *schade* statt *schande.*     190 hs. *den* nach *allen* ist (nach H, K, E, B, I und F.) getilgt.     217 H, K, I *vröude* statt *vriunde; ist* statt korrektes *sî* wegen des folgenden Reimes.     Nach 226 reimen B, I zusätzlich: *hie hât daz mære ein ende, / got uns alle tôrheit wende.*

## Zur Übersetzung

**107** Zu *pfenninge* s. Nr. 7, V. 62; *guot* steht für das gute Material, die Legierung und Prägung.

**127 ff.** Die Putzsucht der Frau gehört zu dem topisch geprägten, namentlich geistlichen Frauenbild des Mittelalters (vgl. auch Brüggen, 1989; s. Anm. zu Nr. 16, V. 33).

**154** Vgl. die hs. Variationen mit *gebûren* und *liute*.

**158** Zu *vriunt* s. Nr. 17, V. 72 ff.; vor allem Komm. zu V. 78.

**178 ff.** Indem dem Mann die Hauptschuld angelastet wird, wird deutlich, daß er die Verantwortung für die Familie trägt.

**195** *leide* könnte auch mit ›Leid‹ übersetzt werden.

## Kommentar

Das Motiv des unbilligen Wunsches wird auch in dem geistlichen Märe *Die Buße des Sünders* (M. 147) entfaltet; die ältere Fassung der Marie de France »zeigt erhebliche Abweichungen, so daß sie als Ausgang oder Modell für den Stricker nicht in Frage kommt« (Sowinski, 1972, s. »Ausgaben«, S. 136). Die Gliederung stellt den hanebüchenen Umgang mit den drei Wünschen ins Zentrum, dem auch der größte Umfang zukommt:

> Die Gebete (1–40: 40)
> Der Engel (41–87: 47)
>    Die Wünsche (88–177: 90)
> Die Folgen (178–196: 19)
> Die Lehre (197–228: 32)

Das bekannte Schwank- und Märchenmotiv vom Mißbrauch der Wunschgewalt endet mit einer außergewöhnlich langatmigen und mehrgliedrigen *moralisatio*, die auf das Grundthema der Strickerschen Texte hinausläuft: die Vereinigung von *kündikeit*, hier *wîser muot* genannt, und Gottes Willen. Die Betonung der Demut gehört zum Gemeingut der zeitgenössischen Dichtung, der Stricker verschärft jedoch die soziale Komponente, indem er die Demutsforderung auf den »kleinen Mann« bezieht.

20

Der arme und der reiche König

*Ausgaben:* F. 16; M. 38. – *Übersetzung:* Spiewok (1982) S. 197–200
(*Die zwei Könige*). *Forschungsliteratur:* Fischer (1968) S. 363, 470;
Köppe (1977); Ragotzky (1981) S. 122–128; Strasser (1989) Reg.,
S. 383. *Überlieferung* A 47; H 156; K 148.

## Zur Textgestalt

[Überschrift] H *ditz ist ein hübsche lêre / von zweien künigen hêre*;
K *ditz ist von zweien künigen hêr / ein vil seltsæne lêr.*    4 H, K
*rîchern*; F. *rîchen* statt A *einen*.    20 hs. *im kunde* ergibt offenbar
keinen Sinn, ich wähle deshalb mit F. die Lesart H, K.    30
*niemer*, hs. *nimmer* ist wegen des Reims ausnahmsweise auf die
ältere Langform zurückgeführt.    43 f. F. wählt für die Reimwörter
die Kurzform; sie sind für *wâr* nicht üblich, jedoch die Langform für
*dâr*; vgl. V. 113 f.    45 *künic* nach H, K ergänzt.    47 ebenso
*ez*.    61, 72, 81, 104, 111, 120 *ritter*, hs. *riter*.    75 hs. *ienden* nach
H, K (F.) in *iender* geändert.    78 hs. *du*, F. wählt das gebräuch-
lichere *dô*.    80 hs. *ærmer*, F. schreibt *ärmer*, vgl. jedoch hs. *ermer*
V. 87, 103, 113 und Lexer.    93 *den* statt hs. *dem* nach H, K
(F.).    104 hs. *hete* wohl eher Konjunktiv als Indikativ (F.
*hâte*).    106 *man* nach H, K (F.) ergänzt.    113 f.: Zum Reim vgl.
V. 43 f.    117 f. hs. reimen *geschihet* auf *nihet*, wobei *nihet* ganz
ungewöhnlich ist und offenbar an *geschihet* optisch angeglichen
wurde.    126 *si*, hs. *siu*.    140 *geseit*, hs. *gesait*.    145 f. F. folgt
z. T. H, K *iu von mir iemer mê [...] troume alsô* (H, K *sô*) *wê*;
irritierend ist A 146 *also*, das ich als *als ê* auflöse und als Verschrei-
bung im Blick auf den folgenden Vers auffasse, was die geringsten
Änderungen erfordert.    148 f. F. folgt wieder H, K *vindet ir / ze
allen zîten*.    161 statt *daz* schreiben H, K (F.) *waz*.    163 *muose*,
hs. *muz*, Korrektur nach F.    164 H, K (F.) wählen statt *muosen*
variierend *begunden*.    167 hs. *bezzer*, *s* nach H, K (F.).    172 H,
K (F.) *ûz* statt *nu*.

## Zur Übersetzung

4 *einen:* Für die Übersetzung empfiehlt sich die Korrektur nach H,
K.
7 *vrümekeit* (lat. *fortitudo*) schließt Gutheit und Tapferkeit mit
ein.

9 *rîche* und *arm* sind im Mittelalter relative Begriffe, d. h. der »Arme« ist »weniger reich«; vgl. Nr. 8, Anm. zu V. 15 ff. und auch: Roland Ris, *Das Adjektiv reich im mittelalterlichen Deutsch. Geschichte, semantische Struktur, Stilistik*, Berlin / New York 1971; Aaron J. Gurjewitsch, *Das Weltbild des mittelalterlichen Menschen*, München 1980, S. 25 f.

16 *man* darf hier als ›Lehensmann, Vasall‹ verstanden werden, der das *consilium*, den *rât*, wahrnimmt (s. Nr. 17, V. 135). Der König scheitert, weil er dem *consilium* nicht folgt.

104 *er* kann sich auf beide Könige beziehen; bezieht man es auf den reichen, erhöht sich der Witz, bezieht man es auf den armen wie Köppe (1977) S. 168 und 174, so muß man dennoch nicht mit diesem an dessen Armut zweifeln, da der Begriff der Armut ohnehin nur relativ zu verstehen ist und die soziologische Elle die Interpretation nicht fördert.

127 *hulde* (lat. *fides*) gehört zur Lehensterminologie (vgl. Anm. zu V. 16).

144 Zugrunde liegt die Rechtsauffassung, daß Gleiches mit Gleichem vergolten werden soll.

172 Die Wendung *âne wîsheit varen* kann auch einfach ›unweise sein‹ bedeuten, doch möchte die Übersetzung versuchen, im Bild zu bleiben.

### Kommentar

Das Märe arbeitet mit dem Märchenmotiv des willkürlichen Königs und überträgt das Modell des vernünftigen Handelns auf das Lehenswesen zugunsten einer Stabilisierung der politischen Ordnungen: Diese wäre nur bei einem klugen König garantiert.

### 21
### Der Richter und der Teufel

*Ausgaben:* GSA Nr. 69; Röhrich (1962) S. 251–256; F. 17; M. 126. – *Übersetzungen:* Greiner (1922) S. 99–106; Spiewok (1982) S. 42–48. – *Forschungsliteratur:* AT 1186; Schw. (1959/II) S. 68 ff.; Spiewok (1964); Röhrich (1967) S. 251–278, 460–471; Fischer (1968) S. 52; Margetts (1972); Schütze (1973) S. 53 ff.; Köppe (1977); Ragotzky (1981) S. 128–133; Ehrismann (1986) S. 183–185; Strasser (1989) Reg., S. 384; Bräuer (1990) S. 481 f.; Joh. Andreas Schmeller, *Die*

*Mundarten Bayerns grammatisch dargestellt*, München 1821, Neudr. Wiesbaden 1969, S. 447; Robert E. Lewis, »The Devil as Judge. The Stricker's Short Narrative *Der Richter und der Teufel*«, in: Edward R. Haymes / Stephanie Cain van d'Elden (Hrsg.), *The Dark Figure in Medieval German and Germanic Literature*, Göppingen 1986, S. 114–127; Lambertus Okken, »Richter, Teufel und Hiob«, in: *Amsterdamer Beiträge zur Älteren Germanistik* 17 (1982) S. 97–102. – *Überlieferung:* A 135; C 28; H 195; L 132; M 30; N 32; Q 7; V 30; W 28; f 2; s¹ 2; s² 2.

## Zur Textgestalt

[Überschrift] H *ditz ist von dem richter hie | mit dem der tiuvel gie*; M *der tiuvel nam eines richters wâr | und vüerte in mit im bî dem hâr*; f *wir wellen ein bîspel sagen, daz wâr ist, und ûf dise rede alle gehœret*; s¹ *wir wellen iu ein bîspel sagen, daz wâr ist, und ûf alle dise rede hœret*; Q *dedisti metuentibus te significationem ut fugiant a facie arcus*; s² *ein bîspel*; C *ein exempel*. Q stellt eine theologische Vorrede von 17 Versen voran; auf weitere inhaltlich wenig relevante Zusatzverse ist im folgenden nicht mehr eigens hingewiesen.    20 *rîcher* (Gen. part.); F. ändert gegen die Hss. in *rîchiu*; fehlendes Genitiv-*e* in *kleit* kann als Apokope aufgefaßt werden.    55 A fügt nach *wile* ein *ich* ein (fehlt u. a. in H; so auch bei F.), mit dem nichts rechtes anzufangen ist.    97 hs. *soltu* nach den anderen Hss. (und F.) geändert.    113 H, Q, N, s¹, s², L verwenden statt *binden vinden* und statt *seil teil*, also: »[...] findest du noch heute heraus.«    115 hs. *under* nach H, Q, N, L, f, s¹, s² (F.) in *wunder* geändert.    135 *giht*, A wählt, anders als die übrigen Hss., die kontrahierte Form *git*, die zwar auch zu *geben* gehören könnte, wozu jedoch der Reim nicht paßt.    150 hs. *in* nach den übrigen Hss. (und F.) in *ez* geändert.    192 *der-*, sonst *dar-*; *gîgen*, die übrigen Hss. (und F.) wählen Formen von *gân/gên*.    204 A überliefert die verunglückte Mischversion *er gevienc in vaste in daz hâr* aus den Lesarten *greif in daz* und *vienc in bî dem*; ich folge H., anders als diesmal F.    214 Der Vers ist wegen des Reims und nach dem Vorbild anderer Hss. hinter 211 vorgezogen.    216 *was* nach den übrigen Hss. (und F.) aus *wart* korrigiert.

## Zur Übersetzung

57 ff. Eine Parodie auf die Rechtssprache!

71 D. h. dem Jüngsten Gericht.

113 Vgl. die hs. Varianten, die offensichtliche »Besserungen« sind; ich habe A wegen des schönen Bildes beibehalten.

115 f. Zur Vorausdeutung im Märe s. allgemein: Schirmer (1969) S. 43 f.

142 Die *ine weiz*-Formel ist eine beliebte rhetorische Figur zur Abkürzung der Rede (vgl. V. 213).

150 Moelleken möchte diesen Vers in der Form einer sprichwörtlichen Redensart nicht auf den Richter beziehen.

152 Ein Jahr lang, d. h. immer.

164 Zu *pfunt* s. Nr. 7, V. 62.

210 Die Wahl des Adlers für dieses Bild erinnert an Hrabanus Maurus' Auslegung *Aquila diabolus vel Antichristus* »der Adler bezeichnet den Teufel oder Antichrist« (vgl. *Lexikon der christlichen Ikonographie*, Bd. 1, S. 70–76). In den Tiergeschichten und -fabeln bietet der Adler nur selten das positive Bild des Königs der Lüfte (s. Hans-Jörg Uther, »Adler«, in: EM I, Sp. 106–110).

213 Zur *ine weiz*-Formel s. V. 142.

219 f. Die Übersetzung ist vielleicht zu frei, gemeint sein könnte auch, daß der Rat, der vom Teufel ausgeht, unklug ist – nur hat in der Erzählung der Teufel ja eigentlich das Bessere geraten.

## Kommentar

Die Erzählung prangert den willkürlichen Richter an, ähnlich hatte der Dichter in *Der arme und der reiche König* (Nr. 20) den willkürlichen Herrscher verspottet. Okken identifiziert den Richter mit dem hochmittelalterlichen Großgrundbesitzer und meint, nur aus Rücksicht auf sein Publikum, das sich aus solchen *landes herren* zusammensetzte, sei der Stricker auf die Richterfigur ausgewichen. Man wird gegenüber solchen konkretisierenden Überlegungen skeptisch bleiben, so ängstlich scheint der Dichter gar nicht gewesen zu sein: der falsche Richter steht zumindest auch als Chiffre für den Mißbrauch von Herrschaft ganz allgemein.

Die Geschichte vom falschen Richter war außerordentlich beliebt und fand nicht nur Eingang in Rechtsbücher (s[1]: Schwabenspiegel) und spätere Schwanksammlungen (z. B. Johannes Paulis *Schimpf und Ernst*, Nr. XX), sondern konnte auch noch Mitte des 19. Jh.s etwa in Wien (GSA III, S. CXIII) oder – etwas abgewandelt – in

Aschaffenburg (Schmeller; s. S. 269 f. gehört werden: schon immer
hat sich gerade der »gemeine Mann« zur Wahrung seiner Ansprüche
auf das die Gemeinschaft überwölbende Recht berufen, dessen
Verletzung – nicht nur in dieser Erzählung – göttliche Sanktionen
hervorruft (vgl. Robert Hermann Lutz, *Wer war der gemeine
Mann? Der dritte Stand in der Krise des Spätmittelalters*, München/
Wien 1979). Der Teufel, dessen Verhalten sehr ritualisiert und damit
ironisiert ist, ist nicht etwa der Vertreter des Rechts, sondern der
Erfüllungsgehilfe Gottes (zur Frage der humoristischen Teufelsdar-
stellung vgl. Lewis, 1986; s. S. 270).

Die *moralisatio* verkürzt, wie so oft beim Stricker, die komplexe
Erzählstruktur erheblich und spricht nur vom Verhalten des Teufels,
mit dem man sich nicht einlassen sollte.

Die Stoffgeschichte kennt gewöhnlich nur drei Marktepisoden
(Röhrich, 1962), der Stricker scheint sich, als er vier Episoden
erzählte, an einer alttestamentarischen Tradition der Vierzahl orien-
tiert zu haben, wobei ihn besonders die Geschichte von den Leiden
Hiobs inspiriert haben könnte (Okken, 1982; er verweist auf
4. Mose 23,1–24,25; Richter 9,8–15; Hiob 1,14–19; dazu Hiob
24,1–25 und 24–28).

Von nicht geringem Reiz für den heutigen Leser ist der Einblick in
das Marktgeschehen und die noch ganz ländlich strukturierte mittel-
alterliche Stadt (vgl. u. a. einführend: Lewis Mumford, *Die Stadt.
Geschichte und Ausblick*, Bd. 1, München 1963, S. 328–366; Hans-
Werner Goetz, *Leben im Mittelalter vom 7. bis zum 13. Jahrhun-
dert*, München 1986, S. 201–239; Jacques Rossiaud, »Der Städter«,
in: Jacques Le Goff (Hrsg.), *Der Mensch des Mittelalters*, Frankfurt
a. M. / New York 1989, S. 156–197; Josef Fleckenstein / Karl Stack-
mann (Hrsg.), *Über Bürger, Stadt und städtische Literatur im
Spätmittelalter*, Göttingen 1980; Jacques Le Goff, »Die Stadt als
Kulturträger 1200–1500«, in: Cipolla/Borchardt, 1983, S. 45–66;
Georges Duby, »Die Landwirtschaft des Mittelalters 900–1500«, in:
Ebd., S. 111–139).

Die Gliederung ist einfach und stringent:

    Der sündige Richter (1–12: 12)
      Der Weg zum Markt (13–116: 104)
      Der Markt (117–214: 98)
    Moralisation (215–224: 10)

Innerhalb des Marktes, der im übrigen eine Chiffre für die Welt ist (vgl. *Der Marktdieb*, M. 103), wird die Klage der armen Witwe durch Achtergewicht besonders hervorgehoben; der Erzählblock für sie umfaßt annähernd ebenso viele Verse wie für die drei vorausgehenden Szenen:

Der bestechliche Richter (117–125: 9)
Das Schwein (126–140: 15)
Das Rind (141–157: 17)
Das Kind (158–167: 10)
Die Witwe (168–212: 45)

# Reden

## *Zur Gattung: Rede*

Die Adaption des mhd. Begriffs *rede* ist wie *mære* oder *bispel* eine jener kaum gelingenden Versuche des heutigen Literarhistorikers, die mittelalterliche Textsortenvielfalt zu strukturieren. Unter *rede* wird im Gegensatz zur Erzählung eine theoretische Abhandlung zu einem bestimmten Vorwurf verstanden – in unseren Beispielen der Minne, gehörten doch die Minnereden zu den beliebtesten Vertretern dieses Texttyps. Hierzu zählen auch die Minneparodien und -kritiken. Von diesen haben wir zwei ausgewählt, die von ihrem ersten Herausgeber unter dem gemeinsamen und etwas irreführenden Titel *Die Minnesinger* publiziert wurden. Sie gehen von einem sehr anschaulich geschilderten Kasus aus und stehen deshalb dem Märe nahe (vgl. Ragotzky, 1981, S. 44, Anm. 8). Da an dem Minnethema seit jeher in der Regel das Thema der höfischen Ethik und Kultur gespiegelt wird, so ist auch beim Stricker die Minnekritik zur Hofkritik erweitert.

*Literatur:* Fischer (1968); Kosak (1977); Ziegeler (1985).

## 22

## Die unbewachte Gattin

*Ausgaben:* Friedrich Heinrich von der Hagen (Hrsg.), »Die Minnesinger, die ungebeten zu Gaste kommen [. . .]«, in: *Germania. Neues Jahrbuch der Berlinischen Gesellschaft für deutsche Sprache* 8 (1848) S. 295–301; Moelleken (1970) Nr. 12 (*Die Minnesänger*); M. 146 (dass.). – *Forschungsliteratur:* Jensen (1886; s. S. 10, Anm. 9) S. 28–30; Bausinger (1961); Ragotzky (1981) S. 39–44; Knapp (1986; s. Nr. 16) S. 60 f.; Bräuer (1990) S. 483; Hanns Fischer, *Strickerstudien. Ein Beitrag zur Literaturgeschichte des 13. Jahrhunderts*, Diss. München 1953 [Masch.], S. 72–76; Karl-Friedrich Kraft, »*Die Minnesänger* des Strickers. Minnesang beim Wort genommen«, in: Alfred Ebenbauer (Hrsg.), *Philologische Untersuchungen gewidmet Elfriede Stutz zum 65. Geburtstag*, Wien 1984, S. 229–256. – *Überlieferung:* A 155a; B 42; E 56; I 39 (Wolf, 1972, 66vb–67ra).

### Zur Textgestalt

[Überschrift] B *ein mære von der köuflerin* (Teilaspekt nach V. 177 ff.).    25 f. vielleicht ein optischer Reim (*fuor/tuer*), Moelleken (1970) bessert zu *fuer*, wozu ich keine grammatische Legitimation finde.    48 B, I leiten unpersönlich mit *ez hât* ein.    60 Für hs. *suze* wähle ich im Hinblick auf die Assonanz *guotes* den Diphthong *uo*; vgl. V. 54, wo als Gegenüber zu *minne süeze* gewählt ist.    65 *sinne* statt hs. *minne* nach B, I.    78 *der* statt hs. *die* nach B, I.    94 hs. *iuch* statt *iu*.    105 hs. *bowet*, also auch in *bouwet* auflösbar.    106 E, B, I schreiben *und immer unverdorben sint*.    112 Konj. *tæten* wäre sicherlich sinnvoller, aber wohl aus Reimgründen vermieden.    120a,b die Mehrverse nach E, B, I, weil sie zum Verständnis notwendig sind.    121 hs. (und Moelleken 1970) *muoter* statt *muot* (I: *müt*).    164a,b aus E, B, I; vgl. 120a,b.    184 *bremgewant* ›verbrämtes Gewand‹.    211 »Korrekter« wäre *ein* (Mhd. Gr., §229, Anm. 1), was jedoch der Reim verhindert.    221 E, B, I schreiben statt *liute* (hs. *lute*) *huote* (hs. *hute*) und fassen den Satz konditional auf: »wenn alle sie bewachten«.    B, I schließen durch zwei Zusatzverse: *hie endet sich daz mære, / got sî unser hüetære.*

## Zur Übersetzung

1 *hie vor:* Bevor man allzu schwerwiegende Überlegungen zur Zeitstruktur des Textes anstellt (vgl. Kraft, 1984) wäre zu überlegen, ob nicht einfach – und vielleicht gedankenlos – der in den Mären vertraute Erzähleingang gewählt wurde.

1 *huote,* als *terminus technicus* des Minnewesens unübersetzt gelassen; sie bedeutet die Überwachung der Dame/Herrin, um die Minneausübung zu verhindern, und sie diente damit der höfischen Normenkontrolle. Gescholten wurde die *huote* nicht generell, sondern nur von jenem lyrisch-epischen Personal, das sie zu umgehen wünschte. Zur gattungskonstituierenden Funktion des *huote*-Modells s. Ziegeler (1985) S. 259–296.

7 *hôchgemuotiu minne,* als *terminus technicus* des Minnebereichs nicht übersetzt; es bedeutet hier eigentlich ›hochgestimmte Minne‹, doch ist der kürzere Ausdruck der übliche (vgl. Anm. zu V. 63).

10 Mit diesem Vers braucht keine Aufhebung der Vergangenheit (vgl. V. 1) verbunden zu sein, wie Kraft (1984) S. 239 annimmt.

13 Zu den *merkæren* (›Merkern‹; der Begriff hat sich im Personal der Meistersinger erhalten) zählen jene Höflinge, die die *huote* vollziehen.

24 *kurzwîle hân,* eine beliebte Formel für höfische Unterhaltung, die hier in der *rede* parodiert wird.

31 *werben,* das Bemühen des Höflings um die Gunst der Dame, das sich in der höfischen Kultur jedoch in verbal-gestischer Eleganz und nicht in plumper Annäherung vollzieht.

48 Hinter den folgenden Ausführungen steht die höfische, namentlich auch Strickersche Minnetheorie, wie sie etwa in der *Frauenehre* (M. 3) weitläufig entfaltet ist, daß nämlich die Minne die Tugenden freisetzt und selbst eine hohe Tugend ist.

63 *hôhe tougen minne,* Kombination aus *hôher minne* und *tougen minne,* wobei der Höfling hier die Begriffe pervertiert; *hôhe* bezieht sich auf die Distanz der Partner und ihre affektkontrollierte Beziehung und nicht auf die Verwirklichung der Affekte; *tougen* darauf, daß die Liebe nicht offenbar wird, aber nicht auf eine heimliche Verwirklichung (vgl. S. 220).

71 *vorlouf,* eigtl. ›Einleitung, Vorläufer‹; ich habe dafür das gängige Bild der Pforte gewählt.

86 Kraft (1984) S. 235 f. sieht mit dem Begriff *stæte* das *stæte*-Motiv des Minnesangs evoziert, was jedoch im Hinblick auf die Bedeutung ›Bestätigung‹ keinesfalls zwingend ist und zu erheblichen Überinter-

pretationen führt. Gemeint ist: der Gast wird die Bestätigung haben, wenn sie ihm ihre Gedanken entdeckt hat.

90 *hôhzît* ist hier mit seiner üblichen Bedeutung ›Fest‹ übersetzt, doch könnte auch schon ›Hochzeit‹ mitschwingen, denn der Gast avisiert mit der Anspielung auf das Fest den Ehebruch.

93 ff. Kraft (1984) S. 236 ff. verweist auf die Parallelen zu Strickers Minnerede *Frauenehre* (M. 3).

95 *gimme* ›Gemme‹ steht gerne allgemein für ›Edelstein‹.

98 Vgl. Moelleken (1970) S. 60, der die Wendung mit ›Tugend in Sicherheit gebracht‹ wiedergibt.

105 Die Kinder der *minne* sind die Tugenden.

109 Der Stricker zitiert wieder den Typ der bösen Frau.

114 *täten,* auch: ›taten‹.

117 *behalten,* auch: ›bewirten‹, also: »wenn sie sich eine leisten kann«.

118 *Salman* ist der biblische König Salomo, der hier Sinnbild des Ratgebers schlechthin ist.

128 *vrouwen trût,* d. h. ›Vertraute einer Dame‹.

164a ff.: Die Wendung bedeutet, einen Schwächeren in Gegenwart eines Mächtigeren bestrafen, damit dieser für sich eine Lehre daraus ziehe (Johannes Bolte, »Den Hund vor dem Löwen schlagen«, in: *Zeitschrift für Volkskunde* 16, 1906, S. 77–81; 32, 1922, S. 145; 37/38, 1927/28, S. 19; Karl F. W. Wander, Hrsg., *Deutsches Sprichwörter-Lexikon,* 5 Bde., Leipzig 1883–86, Neudr. Darmstadt 1964, Bd. 2, Sp. 883; Samuel Singer, *Sprichwörter des Mittelalters,* Bd. 3, Bern 1947, S. 21; Lutz Röhrich, *Lexikon der sprichwörtlichen Redensarten,* Freiburg i. Br. [u. a.] 1973, S. 451–453; Schwab, 1959/I, S. 272, Anm. zu V. 134, 240–242). Die Redensart wird gewöhnlich auf den Hund, nicht auf den Bären bezogen; so auch in Strickers geistlicher Rede *Die gerechten Schläge Gottes* (M. 139, V. 240 ff.).

175 *hövischære,* hier mit ›Höfling‹ übersetzt, wobei die zeitspezifische Form des Minnedienst ausübenden Ritters gemeint ist. Die abschätzige Wertung, die der Stricker dem Begriff in seiner Rede verleiht, geht nicht von dem Wort selbst aus.

176 Die Kinder des Teufels sind die Sünden, die Angehörigen des Teufels, wie aus einer ganzen Reihe Parallelstellen beim Stricker hervorgeht (z. B. *Des Teufels Ammen,* M. 117, V. 15, 22 ff.; *Die fünf teuflischen Geister,* M. 166, V. 4).

179 ff. Die Kupplerin gehört zum festen Bestandteil der Ehebruchschwänke.

184 *risen* kann auch das gesamte *gebende* (d. i. der Kopfschmuck

der Frauen) bezeichnen (s. Brüggen, 1989, Nr. 16, V. 33, S. 241, 216 ff.). – *krâmgewant* sind Kleider und Kleiderstoffe, wie sie Krämer feilbieten.

185 *twehel*, insbesondere Leinentücher, auch Tücher zum Abtrocknen oder Tischtücher.

206 *beschrîen* ›beschreien‹ bezieht sich auf das ›Gerüfte‹, einen mittelalterlichen Rechtsbrauch. Das Geschrei der Schreimannen als ein Teil des Beweises im Rechtsverfahren ist eine germanische Institution: Mußte sich der Beklagte von einem Vorwurf reinigen, dann konnte er dies durch einen Reinigungseid tun, »doch konnte der Kläger dem Beklagten den Eid verlegen. So wurde beim Handhaftverfahren der auf handhafter Tat ergriffene Täter vom Kläger vor Gericht gebracht. Durch seinen Eid überführte der Kläger, unterstützt durch die Eideshilfe der auf sein Gerüft herbeigeeilten Schreimannen, den Täter (Überführungseid)« (Hermann Conrad, *Deutsche Rechtsgeschichte*, Bd. 1, Karlsruhe ²1962, S. 30; s. auch: *Handbuch zur deutschen Rechtsgeschichte I*, Sp. 1584–87). Die Institution hält sich bis in das späte Mittelalter, hier werden die Schreimannen zu Tatzeugen (Conrad, ebd., S. 386).

## Kommentar

Karl-Friedrich Kraft (1984) interpretiert diese und die folgende Rede wie schon der erste Herausgeber Friedrich Heinrich von der Hagen als Einheit; man hätte allerdings erwartet, daß eine Strukturanalyse dies näher begründet und dabei die Überlieferungssituation mit berücksichtigt. Er analysiert ausführlich die Rhetorik beider Reden und ihre literarischen Zusammenhänge und macht dabei detailliert deutlich, »in wie umfassender Weise der Dichter System und Wort des Minnesangs beim Wort genommen hat« (S. 231). Der dezidierten These, die im übrigen in ähnlicher Form auch Ragotzky (1981) S. 39 ff. vertritt, daß der Stricker nur den Minnesänger im Auge hatte und nicht den Minnekult insgesamt, wird man allerdings nur schwer folgen können, denn die erste Rede handelt nicht so eindeutig von einem Sänger, wie behauptet wird.

Die Rede nimmt den höfischen Minnekult wörtlich, sie könnte sich auf Figuren der Wirklichkeit, auf die beginnende »Realisierung« der arthurischen Welt (vgl. Haug, 1989, s. S. 21, Anm. 39) berufen. Die für den Minnekult typischen Redeformeln werden ihres idealisierenden Sinns beraubt: eine Parodie des höfischen Lebens nach einer Methode, die schon Fuchs Reinhart in Heinrichs kleinem Epos vom

Ende des 12. Jh.s gegenüber der Wölfin Hersant anwendete und die später in bezug auf alle Lebensformen besonders durch Eulenspiegel repräsentiert ist. Die Minnekritik ist zur Hofkritik erweitert und geht in eine verhältnismäßig biedere *huote*-Ethik über, wobei bemerkenswerterweise der schlechte Zustand schon in die Vergangenheit versetzt, d. h. die sonst übliche *laudatio temporis acti* (›Lob der vergangenen Zeit‹) pervertiert ist. Ich bin sehr im Zweifel, ob man solche Parodie als ein »*erniuwen* der Gattung Minnesang« (Ragotzky, 1981, S. 44) lesen darf, das identisch sei »mit der Etablierung eines neuen Texttyps« (ebd.; vgl. S. 27). Es wäre reizvoll, des Strickers Forderung nach *huote* mit dem feinfühligen *huote*-Exkurs des *Tristan* Gottfrieds von Straßburg (V. 17817 ff.) zu konfrontieren, in dem Verbot und *huote* als Anreiz, sie zu übertreten, gebrandmarkt werden.

Die Rede, deren Stil der geistlichen Rede des sog. Heinrich von Melk (Ende 12. Jh.) verwandt ist, weist nicht jene konzise Gliederung um ein Zentrum auf wie gewöhnlich die Mären. Den umfangreichsten Teil bildet die Werbung des Gastes (V. 43–106: 64), sie ist umgeben von zwei etwa gleich großen Blöcken über den ungebetenen Gast (V. 17–42: 26) und die falsche Frau (V. 107–128: 22). Zwei gleichstarke Gruppen schließen sich dieser Zirkelstruktur an: das Gegenmittel (V. 129–168: 40) und die Verkäuferin (169–208: 40), d. h. die Zirkelstruktur wird linear aufgelöst – dies könnte als formales Signal für die Gattung Rede, die ja eine fortlaufende Struktur ist, aufgefaßt werden. Das Ganze ist umrahmt von der *huote* einst (V. 1–16: 16) und dem Lob der *huote* (V. 209–222: 14).

## 23
## Der Höfling

*Ausgaben, Forschungsliteratur* und Vorbemerkung s. Nr. 22. – *Überlieferung:* A 155b; E 57; B 61; I 56 (Wolf, 1972, 84rb–84vb).

### Zur Textgestalt

[Überschrift] E *von hövischæren*; B, I *von des gastes hovezuht*.   22 *kapûz*, eigtl. schon *kabez*, zu lat. *caput*.   25 *unde* statt hs. *ode* nach E, B, I.   27 E, B, I schreiben *sol sich an b. k.*   77 *im* statt hs. *in* nach E, B, I.

## Zur Übersetzung

45 *unmâze* – die *mâze:* Das ruhige und ausgeglichene Verhalten, organisiert die höfischen Tugenden; Strickers Parodie zielt also auf das Zentrum des höfischen Lebens (vgl. S. 21).

49 ff. Die Szenerie des Minnesangs wird als *locus amoenus* zitiert und mit der Szenerie des Bauernhofes kontrastiert.

57 *vogelsanc*, nicht nur der Gesang der Vögel, sondern wie *vogelweide* auch der Ort, an dem sich diese aufhalten; ist so auch ein Flurname geworden.

## Kommentar

Die Rede ist in etwa zwei gleich starke Blöcke geteilt, der erste Teil endet mit der Wendung an den Gast. Witz und Kritik werden wie in der vorigen Rede durch das Wörtlichnehmen des Minnesangs erreicht. Die Minnekritik ist hier noch stärker theologisch ausgerichtet, denn die Minne, so hat es den Anschein, wird als Teufelswerk verflucht. Allerdings können wir nicht ganz sicher sein, wie ernst, wie realitätsbezogen die *moralisatio* gemeint ist: die Ehefrage ist gewiß sehr ernstgenommen, aber die den Minnedienst verhindernden Unternehmungen des Herrn geben doch zu bedenken, ob die Komik den biederen Ernst nicht relativieren sollte.

# Deutsche Literatur des Mittelalters in zweisprachigen Ausgaben

Auswahl

Philipp Reclam jun. Stuttgart